DER AUTOR

Leo Bigger und seine Frau Susanna sind leitende Pastoren des ICF Zürich, einer Kirche mit 3000 Besuchern pro Wochenende an fünf verschiedenen Standorten, und Leiter des ICF Movements. Mit ihren beiden Kindern leben sie in der Nähe von Zürich. Bewusst versuchen sie, so authentisch und überzeugend zu leben, dass sie damit Vorbild sein und mit ihren Mitarbeitern zusammen viele Menschen in der Schweiz und in ganz Europa inspirieren können.

Im Jahr 1996 gründeten Leo und zwei weitere Pastoren ICF Zürich. Damit verwirklichten sie den Traum von einer «Kirche am Puls der Zeit», wo Menschen Jesus begegnen und ein Zuhause finden können. Heute gehört ICF mit seinen über 30 Kirchen zu einer der größten kirchlichen Bewegungen im deutschsprachigen Raum.

Leo ist außerdem Autor mehrerer Bücher, Gastredner im In- und Ausland und TV-Prediger auf diversen deutschsprachigen Fernsehsendern und auf GOD TV (www.icf-tv.com). Man hört immer wieder, Leo begeistere die Leute und motiviere sie durch seine leidenschaftliche, humorvolle und unkomplizierte Art.

www.leobigger.com
www.icf.ch

Dein Leben ist ein Geschenk
Gottes an dich!
Was du daraus machst,
ist ein Geschenk an Gott.

INHALTE

VORWORT

«Wage große Dinge für Gott, dann wird Gott große Dinge tun.»
— William Carey

Eines ist mir seit meinem 18. Lebensjahr bewusst: Den Träumern und Visionären gehört die Welt. Ich denke zurück an die vielen Stunden, die ich vor dem Einschlafen damit verbracht habe, davon zu träumen und mir vorzustellen, wie Gott durch mich eine neue Art von Kirche bauen könnte.

Aber im Alltag stieß ich immer wieder an Grenzen. Die traditionellen Vorstellungen, wie man Kirche «halt eben macht», schienen unbeweglich, unverrückbar, unabänderlich. Doch die Art und Weise, wie man zu der Zeit Kirche baute, befriedigte mich einfach nicht. Dabei stellte ich bald fest, dass ich nur einer von vielen war, denen es so ging. Obwohl eine große Anzahl Jugendlicher unter diesen Umständen litt, hatte dennoch niemand den Mut, etwas Neues zu beginnen. Das musste sich ändern!

Zusammen mit anderen wagte ich etwas Großes für Gott: Wir gründeten eine neue Form von Kirche, die es bis zu diesem Zeitpunkt in der Schweiz nicht gab. Es dauerte nicht lange, bis Gott anfing, durch uns große Dinge zu bewirken.

Der eigentliche Schlüssel zum Erfolg ist Mut. Unsere Träume und Ziele können wir nur umsetzen, wenn wir aufstehen, unsere Komfortzone verlassen und mutige Schritte wagen. Die Bibel gebraucht das Bild des Löwen, der diesen königlichen Mut verkörpert. Jesus selbst wird im Buch der Offenbarung als Löwe aus dem Stamm Juda bezeichnet.

Es ist lohnenswert, sich vertieft mit dem Wesen des Löwen zu beschäftigen und dabei erstaunliche neue Dimensionen der Hoffnung und der Bestimmung für das eigene Dasein zu entdecken.

Möge Mut eines der Markenzeichen deines Lebens werden, denn du bist es wert!

Leo Bigger

KAPITEL 1

DIE EIGENE IDENTITÄT FINDEN

«Du hast noch nie einem Menschen in die Augen geschaut, der für Gott nicht von Bedeutung ist.» — *Bill Hybels*

WOW

Wow! – Um Werfender Obahamma-galaktischer Wahnsinn!

Bevor die Scheinwerfer im Kreißsaal für dich aufleuchteten, hat Gott schon lange vorher Fähigkeiten und Talente in dich reingeschubst.

Er gab dir eine starke Leidenschaft und Kreativität und hat dich in ein Umfeld gesetzt, wo du viele verrückte Ideen umsetzen und wie eine japanische Zierkirsche aufblühen kannst.

Denn als Gott den ersten Menschen geschaffen hatte, da sagte er: «Es ist sehr gut.» Und wenn er «sehr gut» sagt, meint er «sehr gut». Nicht nur ein klein wenig gut, halb gut oder na ja! Nein, ein «Stiftung-Warentest-Sehr-Gut» – amtlich geprüft von höchster Stelle. Oder mit anderen Worten:

Wow! Um Werfender Obahamma-galaktischer Wahnsinn!

Dieses Wow erschallt jeden Tag über deinem Leben. Wenn du deinen Ohren wieder mal ein Wattestäbchen gönnst, kannst du es im Wind hören, denn Gott lässt es jeden Morgen extra für dich vom Engelschor singen. Folgender Bibelvers begeistert mich, seit ich ihm zum ersten Mal begegnet bin:

«Von ganzem Herzen freut er sich über euch.» — *Zefanja 3,17b (Hfa)*

DAS PEPERONI-PROJEKT

Vor knapp einem Jahr kaufte einer unserer Söhne in der Migros eine Peperoni (in Deutschland auf den Namen Paprika getauft), weil er sich entschlossen hatte, Peperoni anzupflanzen und reich zu werden.

Er löste die Kerne aus der Peperoni heraus und legte sie fein säuberlich auf einem Papier zum Trocknen aus.

Aufgrund des Schulstresses vergaß er aber die peppigen Samen. Der Winter zog ins Land, und bald darauf auch der Frühling. Mehr als sechs Monate lang vegetierten die Möchtegern-Peperonis einsam und verlassen vor sich hin – zerkrümelt, verkrustet und potthässlich. Das hatten sie sich anders vorgestellt. Der einzige Gewerkschafter, mein Sohn, der sich für sie hätte stark machen können, hatte sie aus seinem Gedächtnis gelöscht.

Mit dem Frühlingserwachen erwachte auch das große Hirn des kleinen Sohnemannes. Er entdeckte seine Schützlinge und sagte: «Papi, kleine Frage: Schau dir mal diese Samen an. Sie sind klein, braun und tot, auf jeden Fall sehen sie so aus. Hast du das Gefühl, dass daraus noch mal was wird?»

«Probier es aus. Totgesagte leben länger.»

So säte er sie im Frühjahr in verschiedene Töpfe – und siehe da, die Samen keimten, die Pflanzen gediehen.

Er siedelte die Pflanzen in größere Töpfe um, und schon bald konnte er seine erste eigene Peperoni liebkosen, präsentierte seine neue Freundin stolz den Schulkameraden und ließ sich fortan nur noch mit *Peperoni-Doc* ansprechen.

Als ich die Peperoni sah, erinnerte sie mich an unser Leben. Im Peperoni-Samen – auch wenn er zerkrümelt ist – ist alles enthalten, was es braucht, dass daraus eine Peperoni wird.

Ob du nun bewusst oder unbewusst auf dem «Abstellgleis» stehst und das Gefühl hast, dass Gott dich aufgrund deiner Sünden, Fehler und Schwächen nicht mehr braucht – Gott hat am Anfang alles in dich hineingelegt, was nötig ist, damit du zu der Frau, zu dem Mann werden kannst, die/den Gott sich ausgedacht hat und gebrauchen möchte.

Lass es mich so formulieren: Es ist alles in dir drin für deine großartige und einzigartige Zukunft.

«Du musst niemand anders werden außer du selbst.» —— *Leo Bigger*

Es gibt keine unbegabten Menschen bei Gott. Ich muss die Gaben und Talente, die Gott mir geschenkt hat, identifizieren, kultivieren, investieren, schätzen und genießen lernen. Denn am Ende wird Gott uns nicht fragen, warum wir nicht das Leben von jemand anderem geführt haben. Du bist du, wuhuu!

«Gott hat etwas aus uns gemacht: Wir sind sein Werk, durch Jesus Christus neu geschaffen, um Gutes zu tun. Damit erfüllen wir nur, was Gott schon im Voraus für uns vorbereitet hat.»
—— *Epheser 2,10 (Hfa)*

Da taucht die spannende Frage auf: Wie kann ich meine Talente und Fähigkeiten entwickeln? Wie wir im Leben von Jesus ablesen können, braucht es dazu zwei Eigenschaften.

LAMM UND LÖWE

Jesus ist das Lamm Gottes. Das «Lamm Gottes» steht in der Bibel für Dienen, Sich-Aufopfern für andere und Verzichten-Können. Diese Seite von Jesus haben wir in 2000 Jahren Kirchengeschichte vor-, rück-, seit-, ab- und aufwärts gepredigt: Du musst dienen. Du musst lieben. Du musst dich hingeben. Alles korrekt.

Aber es gibt eine zweite Eigenschaft von Jesus, über die ich noch selten eine Predigt gehört habe. In Offenbarung 5,5 heißt es:

«Einer hat gesiegt; er kann das Buch öffnen und seine sieben Siegel brechen. Es ist der Löwe aus dem Stamm Juda, der Nachkomme König Davids.»
—— *Offenbarung 5,5 (Hfa)*

Jesus ist sowohl löwig frech als auch lammfromm. Wie passt das zusammen?

Mit Mose, einem Freund Gottes, lässt sich das gut veranschaulichen. Mose wird als sanftmütig und demütig beschrieben. Er dient Gott und seinem Volk und opfert sich selbstlos auf. Mose, das Lamm.

Doch Mose musste lernen, den Löwen in sich von der Kette zu lassen. Wie viele andere erschrak er zuerst über seine eigenen Stärken. Er schauderte vor Angst, als Leidenschaft unaufgefordert in ihm aufstieg. Anfangs fürchtete er, zu seinen Stärken und seiner Mission Ja zu sagen.

Wir dürfen nicht den Fehler machen, die Lamm-Eigenschaften gegen die Löwen-Eigenschaften auszuspielen. Dienen und Sich-Aufopfern ist das Fundament. Darauf bauen der Mut und die Leidenschaft auf, welche vom Löwen in uns geweckt werden.

Der Löwe ist der König der Tiere. Alleine diese Tatsache sagt Folgendes aus:

→ Ein Löwe braucht nichts zu beweisen, denn er sucht nicht nach Selbstbestätigung.

→ Ein Löwe hat nichts zu verlieren, denn er ringt nicht um Ansehen oder Beliebtheit.

→ Ein Löwe hat nichts zu verbergen, denn ihn treibt kein Spiel, sondern er ist ehrlich.

Dies ist vielleicht einem Löwen noch nicht klar, wenn er jung ist. Doch diese Bestimmung ist in ihm drin.

Ein Löwe ist …
majestätisch
energiegeladen
kämpferisch
stark
verantwortungsvoll
stolz
mutig
selbstsicher

Etwas von diesem Löwen steckt auch in dir. Deshalb habe ich dieses Buch geschrieben. Damit da neben den vielen Schäfchen endlich ein paar Löwen aufkreuzen.

Denn ob dir das gefällt oder nicht: Du bist die Krone der Schöpfung, voller Würde und majestätisch. Du bist kraftvoll und der Stolz von Gott, der dich gemacht hat.

DU TRÄGST GOTTES FINGERABDRUCK

Gott erschuf und erschafft jeden einzelnen putzigen Löwen. Er kreiert ihre Mähne, Kulleraugen, die verschiedensten Nasen, Öhrchen und Pfoten. Tja, und er entscheidet, ob Mädchen oder Möchtegern-Simba.

Wir haben uns nicht selber erschaffen; unser Leben ist nicht unser eigenes Projekt. Wir sind Gottes Projekt. Gott hat sich uns ausgedacht, und er kennt seine liebevollen Pläne. Er hat auch viele gute Taten vorbereitet, aber nicht in der Form einer Aufgabenliste, wie man sie vielleicht seinem Ehepartner oder Angestellten gibt. Vielmehr handelt es sich um Wegweiser, die uns zu unserem wahren ICH führen.

«Die Chance, geboren zu werden, ist sehr viel kleiner als ein Sechser im Lotto. Wir wurden sorgfältig durch die Eizelle aus einem Pool von über 500 Millionen Mitbewerbern ausgewählt. Du bist ein Winner.»

Du hast also schon mal gewonnen. Wie du dabei aussiehst, konntest du dir nicht aussuchen.

Oder hat jemand von euch im Hotel Mama Bauch ein Formular zum Ankreuzen erhalten:

☒ Ich möchte ein Mann sein
☒ 1.87m gross
☒ dunkle dauergewellte Locken wie Patrick Swayze in Dirty Dancing
☒ Sixpack wie Heineken
☒ Hirnmasse à la Dumbo

Wenn es dir so ergangen ist wie mir, hattest du da nicht allzu viel mitzureden. Ich hatte ungefähr so viel Mitspracherecht wie der Bräutigam beim Brautkleid. Gott lässt sich bei seiner schöpferischen Tätigkeit nicht gerne dreinreden. Deshalb hat er ja auch zuerst den Adam gemacht. Eva hätte ihm bei der Erschaffung von Adam sicher die ganze Zeit in den Ohren gelegen: «Also, den Adam hätte ich gerne kommunikativ, hilfsbereit, groß, schlank, romantisch …»

In Jeremia 1,5 heißt es:

«Ich habe dich schon gekannt, ehe ich dich im Mutterleib bildete, und ehe du geboren wurdest, habe ich dich erwählt.»
— Jeremia 1,5 (Hfa)

Ich versichere dir: Einer der wichtigsten Punkte überhaupt ist, dass du dich annehmen kannst, wie du bist und wie Gott dich gezaubert hat, inklusive deiner «Problemzone», die du gerne wegzaubern würdest. Die Frauen fragen jetzt: «Was heißt eine? – Es sind mehrere!»

Vor ein paar Wochen nahm mich Kurt, ein Freund, verschwörerisch zur Seite und flüsterte: «Leo, unter uns, hast du dich schon mal genau angeschaut, im Spiegel und so?»

«Worauf willst du hinaus?»

«Wenn ich ehrlich bin – dein Oberkörper ist proportional zu deinen Beinen zu lang. Noch nie aufgefallen, alter Schwede?»

Ich musste zugeben: «Kurt, mein Pferdeflüsterer, ehrlich gesagt, nein. Das liegt wohl daran, dass ich nicht so lange vor dem Spiegel stehe. Aber danke für den Hinweis, vielleicht zieh ich mir mal die High Heels meiner Frau an, die sollen die Beine optisch strecken.»

Nach dieser unglaublich männlichen Unterredung weiß ich jetzt wenigstens, was meine Problemzone ist, dafür bin ich Kurt bis ans Ende meiner Tage dankbar.

Spaß beiseite. In meinem Umfeld bekunden viele Menschen riesige Mühe mit ihren Problemzonen, und es fällt ihnen äußerst schwer zu sagen: «Gott, ich danke dir für die Art und Weise, wie du mich gemacht hast.»

Ich kann dir auch nicht sagen, wie du es anstellen musst, aber es ist von entscheidender Bedeutung für ein glückliches und erfülltes Leben, dass du lernst, deine Art, wie Gott dich kreiert hat, zu umarmen. Übe, trainiere, lese, bete, bis du es kannst. Ich bitte dich!

Nimm dir ein Beispiel an den Löwen.

Löwinnen und Löwen sind stark und geschmeidig. Sie bewegen sich mit Muskeleinsatz auf ihr Ziel zu, immer im Bewusstsein, dass ihr Leben und das ihrer Jungen von ihren angeborenen Fähigkeiten und ihrer Stärke abhängt. Wenn sie gehen, scheinen schimmernde Wellen über ihr Fell zu laufen. Anders als wir kümmern sie sich nicht darum, ob ihre Haut schlaff wird oder ob ihr Schwanz zu lange ist. Es ist ihnen auch egal, dass sie alle gleich aussehen. Sie fühlen sich wohl in ihrer Haut.

> ***Ich bitte dich an dieser Stelle, für einen ganz kurzen Moment innezuhalten und zu überlegen: Gibt es seit deiner Kindheit in dir gewisse Eigenschaften, die typisch sind für dich?***

Wenn ich an meine Kindheit zurückdenke, werden mir drei Eigenschaften bewusst, die sich wie ein roter Faden durchziehen:

1. Ich denke über den Rand!

Damals in der Schule musste man bei uns die kleinen Buchstaben in ein Karo und die großen in zwei Karos schreiben. Für die meisten Mädels und Jungs ist dies kein Problem. Für mich war es ein Ding der Unmöglichkeit! Ich brachte meine Buchstaben nie in die Felder hinein; ich war immer meilenweit darüber. Eines unschuldigen Tages nahm mich meine Lehrerin ins Gebet:

«Kleiner Mann, ich habe zwei Fragen an dich: Kannst du es nicht? Oder willst du es nicht?»

Mit wässrigem Hundeblick antwortete ich: «Wollen schon, aber können nicht.»

Während meiner ganzen Schulzeit habe ich es nie geschafft, meine Buchstaben schön in diese Karos hineinzuschreiben. Wir wurden einfach nicht warm miteinander.

In meiner Verzweiflung und unter dem Druck der karierten Hefte, kaufte ich mir einen Füllfederhalter mit der schmalsten Federspitze. Die Hoffnung war von kurzer Dauer. Auch er zähmte meine wilden Buchstaben nicht.

In meiner jugendlichen Reife traf ich eines Tages eine folgenschwere und äußerst pragmatische Entscheidung: «Eigentlich ist das ja nur das Problem meiner Lehrerin, ich meinerseits kann damit leben. So what's the point?»

Diese Geschichte hat sich bis heute durchgezogen. Wenn jemand heute in einer Struktur denkt, denke ich automatisch über die Struktur hinaus. Ich kann gehen, wohin ich will, ich denke immer «out of the box». Das Out-of-the-box-Schreiben in der 1. Klasse hat mir dafür den Weg geebnet, und ich bin Gott von Herzen dankbar für diese Gabe. Und sie hat nichts mit Rebellion oder Stolz zu tun. Gott hat mich so geschaffen. Hier stehe ich, ich kann nicht anders.

«Gott interessiert sich manchmal für seltsame Leute, zum Beispiel für dich und mich.» — *Oswald Chambers*

B. ICH GEHE NEUE WEGE

Der Lehrer fährt auf den Latten voraus, und alle fahren hinterher. Das nennt man ursprünglich «Skischule». Ich habe dem Gruppenstemmbogenfahren sehr schnell abgesagt.

Der Lehrer fuhr voraus, als hinterster Mann der Gruppe wartete ich und stürzte dann absichtlich. Die Gruppe fuhr weiter, und ich konnte meine eigenen Schwünge in den Schnee setzen. Free Leo!

Der ordnungsliebende Schweizer denkt an dieser Stelle: «Leo, du Rebell, du!»

Ich habe immer gesagt, ich glaube nicht, dass ich rebellisch bin. Nein, ich möchte ganz einfach neue Wege entdecken! Durch den Wald fahren, um mit dem Uhu mein Lied zu pfeifen, die Schanzen mit «720s» gegrabbed rocken, mit dem Schnorchel im drei Meter tiefen Neuschnee cruisen …

Ich kam immer als Letzter bei der Gruppe an. Der Letzte musste immer unterhalb der Gruppe anhalten – ich habe oberhalb angehalten. Das heißt, ich versuchte anzuhalten, denn ich kam angeflitzt wie Speedy Gonzalez, die schnellste Maus von Mexiko, und knallte in den obersten Mann. Was dann folgte, war Domino in Reinkultur im Schnee. Einer nach dem andern kippte um. Inklusive Skilehrer, der ganz unten stand: «Noch ein Mal und du gehst nach Hause, und zwar mit deinen Stöcken im Popo!»

«Dann gehe ich nach Hause!»

Er schickte mich, warum auch immer, aber nie nach Hause. So übte ich mich weiterhin im professionellen Stürzen, und wenn heute ein Ski-Stunt im neusten James-Bond-Film gedreht wird, krieg ich (schön wär's!) einen Anruf von Marc Forster, dem Regisseur, der meine Tipps und Tricks will.

LEO IN WILDHAUS

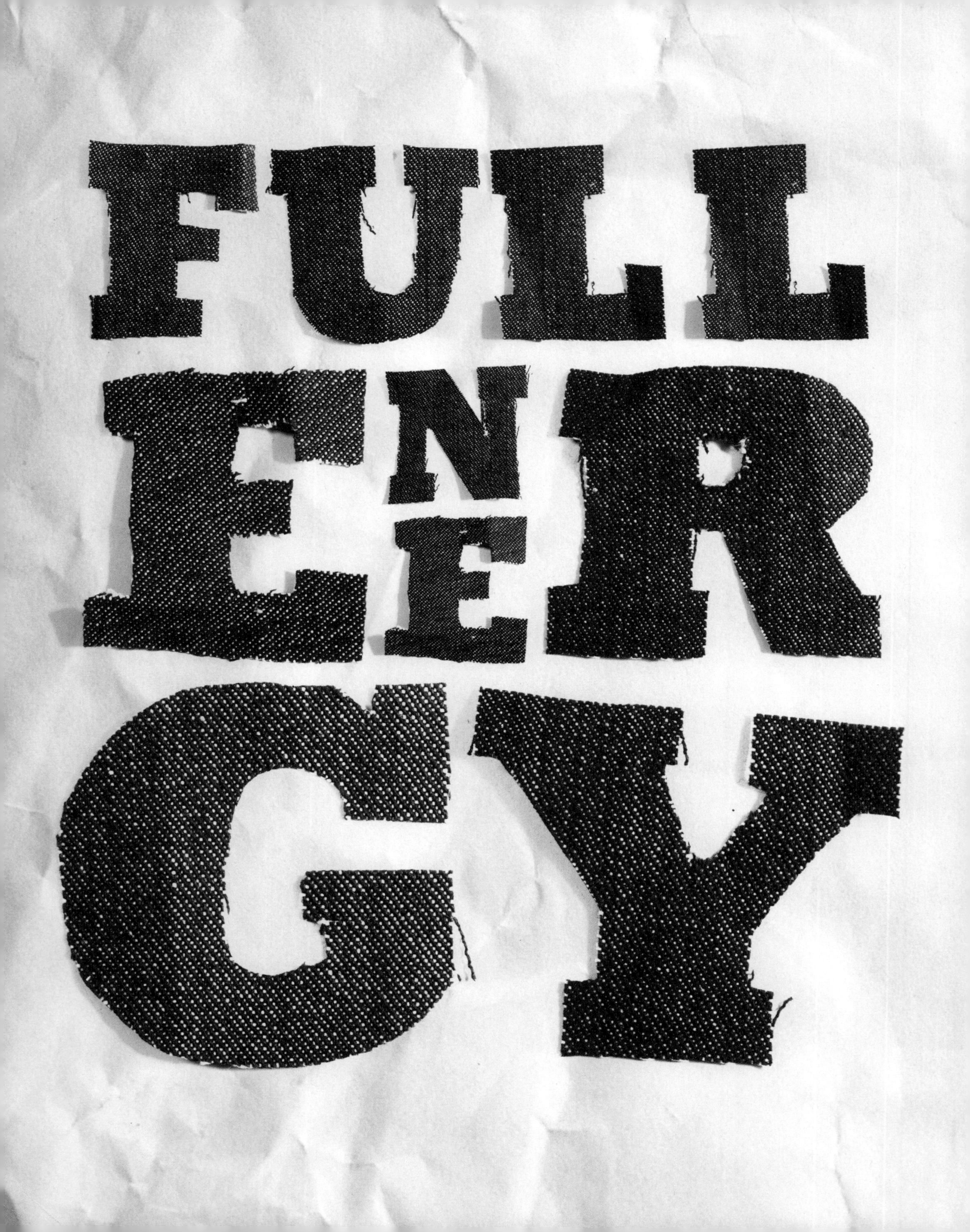
FULL
ENER
GY

C. ICH BIN VOLLER ENERGIE

Meine Mutter erzählte mir kürzlich, dass ich als Kind fünf Paar Hosen pro Tag in die Knie zwang. «Mami, du übertreibst doch!», meinte ich. «Nein, es war Krieg an der Hosenfront. Hose Nummer 1: schmutzig. Nummer 2: zerrissen. Nummer 3: voller Farbflecken. Nummer 2: geflickt und wieder angezogen, Sturzflug und zum zweiten Mal zerstört. Und so ging das weiter … eine Hose nach der anderen, jeden Tag, sieben Tage die Woche.»

Laut meiner Mutti hatte ich als Kind so viel Energie, dass jede Jeans explodierte.

Neulich nahm mich meine Mom in einem klassischen Mutter-Sohn-Gespräch zur Brust. Sie sagte: «Leo, du bist nie zu Hause; du reist in der ganzen Weltgeschichte herum. Mach dich mal locker und werde sesshaft.»

Ich sagte: «Mami, du bist diejenige, die nie zu Hause ist! Du bist jetzt 78 und jeden Abend unterwegs.»

Ein offener Schlagabtausch folgte: «Dies ist etwas anderes; ich bin nur in Buchs, St. Gallen, unterwegs. Du jedoch auf der ganzen Welt.»

«Aha! Als ob das eine Rolle spielen würde! Unterwegs ist unterwegs.»

Als ich dies sagte, fiel der harte Schweizer Franken: «Leo, jetzt verstehe ich!» Ihre Mutter – meine Oma – wollte unbedingt nach Amerika auswandern; sie hatte es nicht ausgehalten auf dem Hof zwischen all den Kuhpopos. Aber es wurde ihr nicht erlaubt. Also passte sie sich an und verließ den Hof praktisch nie.

Meine Mutter verspürte das gleiche Fernweh, sie hatte aber nicht die Möglichkeit, in ferne Länder zu reisen, also begann sie diesen Drang in der Region auszuleben. Und ich führe die Tradition fort, im erweiterten Rahmen der ganzen Welt. Dasselbe Prinzip!

Weißt du, wie oft ich hören durfte: «Leo, wirst du getrieben? Willst du etwas beweisen? Bist du ein Workaholic? Brauchst du ein Ritalin?»

Der Punkt ist: Ich habe schon als Kind fünf Paar Hosen waschmaschinenreif geprügelt. Diese Energie hat mich bis zum heutigen Tag nicht verlassen. Gott hat mir diese Energie gegeben, um etwas für sein Königreich zu bewegen.

Wenn du deine Kindheit Revue passieren lässt, gibt es Dinge, wo Menschen oft sagten: «Das ist falsch, du müsstest stattdessen dieses und jenes tun …»?

Alles Bockmist.

Gott sagt: «Das bist du, das ist mein Fingerabdruck.»

DEINE ELTERN HAT GOTT FÜR DICH AUSGESUCHT

LEOS ELTERN

Viele Menschen, mit denen ich spreche, sind nicht glücklich mit ihren Eltern. Sie sagen mir: «Du kennst meinen Vater und meine Mutter nicht. Meine Mutter ist ein schlechtes Vorbild, mein Vater gar keines.» Diese Menschen fokussieren sich oft auf die negativen Eigenschaften der Eltern.

Ein kleiner Löwe schaut nicht auf die schiefen Zähne vom Herrn Papa oder die Launen seiner Mutter; er schaut auf das, was er von ihnen lernen kann.

Ein kleiner Löwe geht mit vier Monaten mit Mama auf die Jagd. Jagd ist Frauensache. Papa bleibt «daheim», macht es sich vor dem Baumblätterkino gemütlich und bewacht das Revier, das Territorium. Die Frau arbeitet, der Mann bewacht. Sehr modern.

Das Löwenjunge lernt, wie man jagt. Es lernt zu kämpfen, sich anzuschleichen und wie man ein Team bildet. Löwen jagen fast immer im Team, und immer mit Freude! Die Freude bei der Arbeit ist ebenso wichtig wie das Erreichen des Ziels.

Mit zwei Jahren bekommt der Junior sein Jagddiplom. Von nun an ist er bei der Jagd nicht nur dabei, sondern mittendrin. Unterdessen hat er auch das furchteinflößende Brüllen drauf.

In der Bibel, in 2. Mose 20,12, heißt es:

> ***«Ehre deinen Vater und deine Mutter, dann wirst du lange in dem Land leben, das ich, der Herr, dein Gott, dir gebe.»***
> — *2. Mose 20,12 (Hfa)*

Wenn du diesen Planeten lange rocken willst, erweise deinem Vater und deiner Mutter die Ehre, und mach es dabei wie kleine Lion Kings.

Ein Löwe schaut auf seine Eltern, studiert seine Eltern und kopiert seine Eltern. Ein Löwe wird seine Eltern bis ins hohe Alter nie vergessen. Er wird nie aufhören, für seine Eltern zu kämpfen, sie zu beschützen und für sie da zu sein.

Schauen wir uns in der Folge an, was ein kleiner Löwe von seinen Eltern lernt.

Löwen töten ein Tier mit einem gezielten «Pfoten-Krallen-Schlag» – Löwen spielen aber auch mit den Pfoten

Mit der Pfote kann ein Löwe zehn Mal so viel Kraft ausüben, wie ein durchschnittlicher Mann wiegt. Ein Schlag eines Löwen gegen gewisse Gegner – und das Tier ist tot. Schluss, aus die Maus! Mit derselben Pfote streichelt die Mutter ihrem Sohn den Kopf, krault ihn und ist sehr zärtlich.

<u>Ein Löwe lernt:</u> Mit der Pfote kann ich töten, aber auch lieben.

Löwen töten mit ihren Zähnen – Löwen tragen aber auch ein Junges mit ihren Zähnen

Ein kleiner Löwe beobachtet, wie seine Mutter ein ganzes Tier mit einem einzigen Biss zerreißen kann.

Mit denselben Zähnen bringt die Mutter ihr Kind anschließend nach Hause. Das muss der Kleine erst mal verkraften. Der eine oder andere landet schon mal mit einem Zahntrauma auf der Couch vom Lion Doc.

<u>Ein Löwe lernt:</u> Mit den Zähnen kann ich töten, aber auch tragen.

Löwen schaben mit der Zunge das Fleisch ab – Löwen lecken aber auch mit der Zunge das Löwenkind

Löwen lecken mit der sehr rauen Zunge alles Fleisch vom Knochen des erlegten Tieres, und mit derselben Zunge lecken sie liebevoll ihre Artgenossen.

<u>Ein Löwe lernt:</u> Mit der Zunge kann ich schaben, aber auch lecken.

Vieles in unserem Leben wurde uns von unseren Eltern auf den Weg mitgegeben. Wir haben Abertausende von Dingen von ihnen gelernt. Tragischerweise sind wir uns dessen nicht oder viel zu wenig bewusst, geschweige denn dankbar dafür.

Das passiert einem Löwen nicht. Er vergisst nie, was seine Eltern für ihn gemacht haben und was sie ihm alles Tolles beigebracht haben. Deshalb wird er sich auch nie klammheimlich aus ihrem Leben davonschleichen.

Vor ein paar Jahren fragte mich Thomas, ein Mann aus unser Kirche: «Leo, wie machst du eigentlich das Kirchenbudget? Wieso hatte ICF noch nie Schulden?»

Es ist nicht immer möglich, alles auf eine Geschichte zurückzuführen, aber aufgrund dieser Frage wurde mir einiges bewusst.

Ich bin in äußerst einfachen Verhältnissen aufgewachsen, meine Eltern hatten kein Geld für ein Auto. Während all meine Freunde von ihren Eltern Skier, Stereoanlagen oder Mopeds geschenkt kriegten, sah es bei uns etwas anders aus. Ich werde den Tag nie vergessen, als sich mein Vater breitbeinig vor die Familie stellte und verkündete: «Jungs und Mädels, wir sind keine reiche Familie, wir haben kein Extrageld für Skier, Stereoanlagen und Fahrzeuge. Wenn ihr so was haben wollt, müsst ihr selber Geld verdienen.»

Und ob ich so was haben wollte! Mit dreizehn Jahren vermittelte mir mein Dad einen Job als Zeitungsjunge. Zweimal die Woche fütterte ich hungrige Briefkastenmäuler mit druckfrischen Exemplaren. Auf meinen ersten drei Touren begleitete mich meine Mutti, um zu schauen, dass Klein Leo die Zeitungen korrekt in die richtigen Kästen warf.

Als der erste Lohn fällig war, begleitete mich mein Vater auf die Bank. Gemeinsam holten wir die hart verdienten Mäuse ab, marschierten nach Hause, und mein Vater erstellte mit mir ein Budget. Dabei lernte ich, genau zu überlegen, wie viel ich für was ausgeben wollte.

Weißt du, wie oft ich gedacht habe: «Es ist so unfair – alle anderen haben die besseren Eltern! Welcher meiner Freunde muss fürs Skilager seine Latten selber kaufen? Welcher meiner Freunde muss den Adidas-Kapuzen-Pulli selber kaufen?» Weißt du, wie oft ich diejenigen beneidet habe, die alles bekommen, während du selber nichts bekommst?

Was ich in dem Moment nicht begriff, war, dass mich meine Eltern in dieser Zeit eine entscheidende Sache lehrten – wie man mit Geld umgeht. Sie haben mir beigebracht, dass ich, wenn ich kein Geld habe, überlegen muss, wie ich zu Geld komme. Es gibt immer einen Weg dazu, und dabei denke ich an eine legale Art und Weise.

Ich habe gelernt, für meine Wünsche zu arbeiten, ein Budget zu erstellen und glücklich zu sein mit dem, was ich mir leisten konnte.

Doch ich will auch ehrlich sein. Oftmals war ich meinen Eltern gegenüber so dankbar wie ein nörgelnder alter Opa. Ich stempelte meine Eltern als arme Tagelöhner ab. Mein Vater hätte halt einen richtigen Job erlernen müssen, statt Rangiermeister bei den Schweizerischen Bundesbahnen zu sein, Bankier oder Architekt – oder von mir aus Schlagerstar. Einen Job, wo du Kohle scheffeln kannst. Ich klagte meine Eltern innerlich an, statt anzuerkennen, dass sie mich harte Lektionen lehrten, für die ich heute dankbar sein kann.

Immer wieder achtete ich auf das, was mir meine Eltern nicht schenkten und was sie nicht getan haben. Das war unklug.

Und sogar wenn deine Eltern echte Fehler in der Erziehung machen, kannst du daraus einen Nutzen ziehen, indem du dir selber einbläust: «Diejenigen Fehler, die meine Eltern machen, werde ich dann eines Tages nicht begehen!» Das ist das Positive.

DEINE PERSÖNLICHKEIT IST EINMALIG

Ein Löwe kann seine Persönlichkeit nicht aussuchen. Er trägt in seiner DNA sein Aussehen und die Züge seines Charakters.

Bitte denke nicht, dass du ein völlig anderer Mensch werden musst, wenn du geistlich wachsen willst. Gott wirft dein Rohmaterial nicht weg; er gibt diesem nur eine neue Form. Bevor Paulus Jesus kennen lernte, war er ein hochintelligenter, leidenschaftlicher Hitzkopf, der Menschen verfolgte. Hinterher war er ein hochintelligenter, leidenschaftlicher Hitzkopf, der Menschen diente.

Wie schon weiter oben erwähnt, heißt es in Epheser 2,10:

> ***«Gott hat etwas aus uns gemacht: Wir sind sein Werk, durch Jesus Christus neu geschaffen, um Gutes zu tun. Damit erfüllen wir, was Gott schon im Voraus für uns vorbereitet hat.»*** — *Epheser 2,10 (Hfa)*

Nur schon der Satz «Gott hat etwas aus uns gemacht ...» heißt (auf Neudeutsch übersetzt): «Schau dich an! Du bist eine krasse Nummer!» Gott hat etwas aus uns gemacht!

Ich möchte dich fragen: Welche Art von Persönlichkeit bist du?

Lass uns anhand verschiedener Bootsarten auf Entdeckungsreise bezüglich deiner Persönlichkeit gehen. Es gilt herauszufinden, welches Boot du gerne sein würdest, welches am besten zu dir passt. Ready? Los die Leinen! Vielleicht bist du ein...

Segelboot: Du kannst fahren, wohin du willst. Du brauchst keinen Motor, kein Öl, kein Benzin, kein Gas, keine Sonnenkollektoren. Du fährst ungebunden, wohin der Wind dich auch treibt.

Kursschiff: Du fährst nach einem Fahrplan auf einem See. Immer hinauf und hinunter und hinauf und hinunter. Du weißt immer haargenau, wohin du als Nächstes fahren musst.

Kriegsschiff: Wenn es Stunk gibt, kommst du und schießt mit deinen Argumenten. Danach leben alle in Frieden – auf jeden Fall diejenigen, die noch am Leben sind.

Fischerboot: Du tuckerst gemütlich hinaus, fischst und gehst am Abend nach Hause. Und hast sogar noch etwas zum Futtern. Gefällt mir.

Dampfschiff: Du liebst die guten alten Zeiten, den Dampf, die wunderschönen alten Planken und Sitzbänke. Je älter, desto Vintage. Deine Welt atmet Nostalgie.

Speedboat: Du magst es, über die Wasseroberfläche zu bolzen und dabei die neusten technischen Errungenschaften zu bedienen. In dieser technischen Umgebung läufst du als Kapitän zu Höchstform auf.

Greenpeace-Boot: Du kämpfst mit viel Herzblut für eine spezifische Angelegenheit, und niemand hört dir zu. Aber das ist dir egal. Denn es lohnt sich, und eines Tages wird sich die Welt ändern.

Piratenschiff: Du bist ein Rebell für Jesus. Du segelst hart am Limit des Erlaubten. Aber immer im Auftrag des Herrn. Ahoi!

Eisbrecher: Wenn's Probleme gibt und niemand sie lösen kann, dann fährst du hinein und zerbröselst

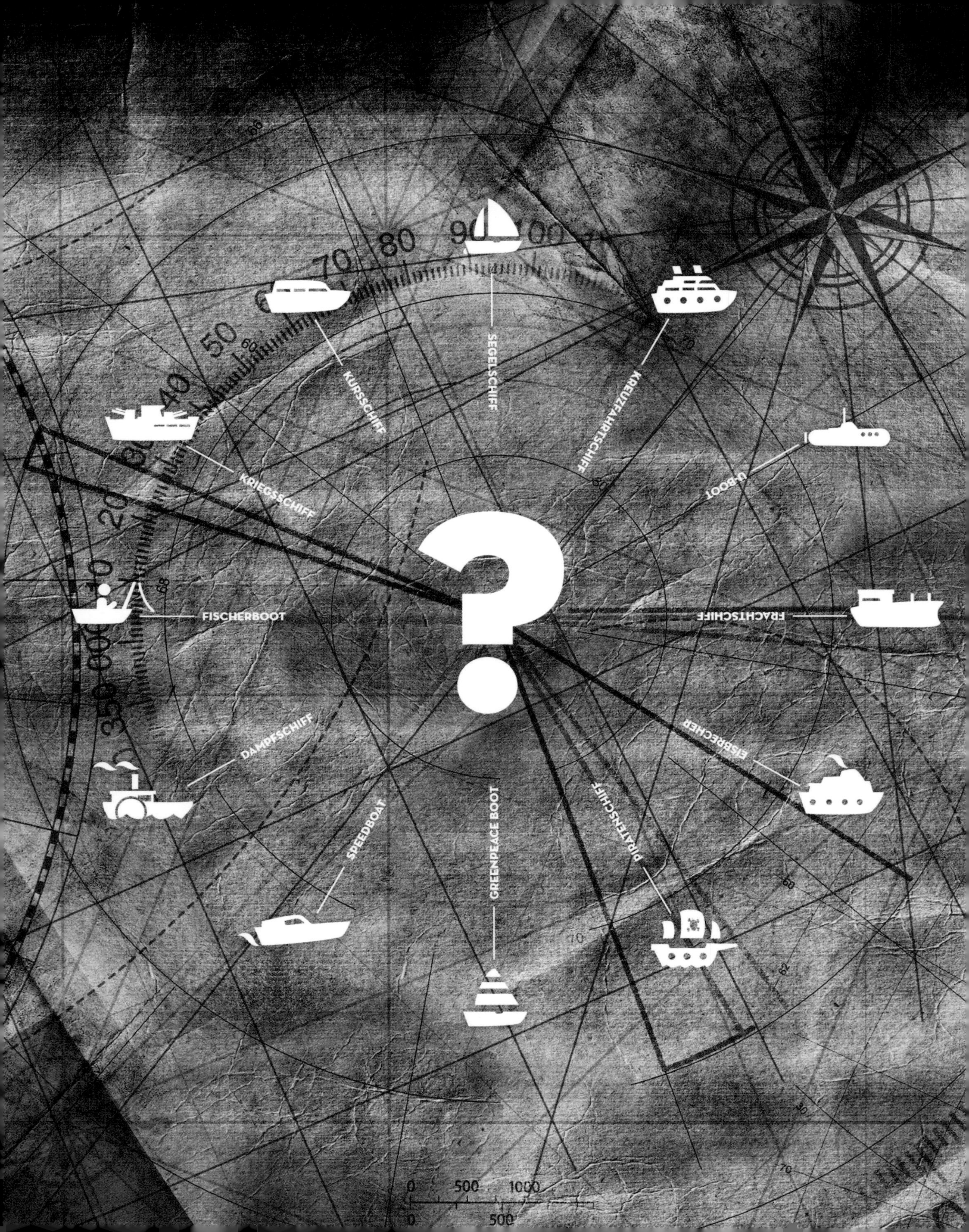
SEGELSCHIFF
KURSSCHIFF
KREUZFAHRTSCHIFF
KRIEGSSCHIFF
U-BOOT
FISCHERBOOT
FRACHTSCHIFF
DAMPFSCHIFF
EISBRECHER
SPEEDBOAT
GREENPEACE BOOT
PIRATENSCHIFF
?

das Problem. Es löst sich auf. Eine große Gabe Gottes!

Frachtschiff: Je mehr Lasten und Verantwortung du trägst, desto mehr blühst du auf. Rudi aus unserer Kirche blickte mich mit fordernden Augen an: «Leo, hättest du nicht noch mehr Arbeit, mehr Verantwortung und mehr Probleme für mich? Ich nehme dir gerne alles ab. Benutz mich.» Je mehr man Rudi belädt, desto mehr hört man ihn jauchzen: «Es geht mir prima!» Das Segelschiff wär unter der drückenden Last schon lange untergegangen und würde unterdessen dem Leben eines U-Bootes frönen.

U-Boot: Du bist fast nie da, tauchst kurz auf, rockst die Bühne und bist schon wieder weg.

Kreuzfahrtschiff: Du liebst es je größer, desto besser.

Vor einem Jahr machte ich mit meiner Familie Urlaub auf dem größten Schiff der Welt, der «Oasis of the Seas». Als ich es zum ersten Mal im Hafen von Fort Lauderdale in Florida sah, sagte ich zu meiner Frau: «Ich dachte, es ist größer.» Das Schiff fasst 9500 Passagiere. Es ist ein schwimmendes Las Vegas! Es gibt keinen Ruheort, es ist immer Rambazamba, rund um die Uhr, eine ganze Woche lang.

In Mexiko kam uns ein Boot mit 3000 Passagieren entgegen. Ich schaute vom obersten Deck der Oasis hinunter und rief den anderen zu: «Was seid ihr für arme Menschen da unten in eurer Nussschale!» Zum Glück haben die mich nicht verstanden, die hätten glatt unser Schiff geentert.

Am selben Abend war ich an der Bar. Ein feiner Herr aus New York City gesellte sich als Trinkgenosse zu mir: «Ich mache die zehnte Kreuzfahrtreise mit, und Junge, Junge, die ‹Oasis of the Seas› ist das schrecklichste Boot, auf dem ich jemals war.»

Ich: «Aber wir sind ja erst einen Tag hier! Was ist so schlecht daran?»

Er: «Dieses Boot ist viel zu groß! Es ist so unpersönlich!»

Ich schaute ihn verdutzt an: «New Yorker, jetzt sag ich dir was: Ich finde, dieses Boot ist viel zu klein! Es müsste größer sein.»

Ich bin auch ein Kreuzfahrtschiff. Je größer ICF Zürich wird, je mehr Bereiche wir abdecken und je mehr neue ICFs entstehen, desto mehr blühe ich als Capitano El Leone auf. Es ist nie Ruhe, immer Rambazamba, immer Stimmung! «Eh, was geht ab, wir feiern die ganze Nacht, die ganze Nacht!» Und dabei ist mir vollkommen bewusst, dass sich einige aus unserer Kirche nach den guten alten Zeiten sehnen, wo wir noch ein Greenpeace-Gummiboot waren und sich niemand einen Deut um uns geschert hat. Aber auf die Dauer immer Gummiboot-Kapitän bleiben? Ich bin froh, dass wir uns weiterentwickelt haben.

Wenn du dir die verschiedenen Boote durch den Kopf gehen lässt, ist meine Frage an dich: Welches Boot passt am besten zu dir? Vielleicht hast du auch noch ein ganz anderes im Kopf, das ich nicht erwähnt habe. Es gibt kein «richtiges» oder «falsches» Boot, sondern einfach nur das Boot, das dich anspricht. Und es sagt viel über deine wunderbare Persönlichkeit aus.

Ich meinerseits bin ein Kreuzfahrtschiff.

«Schaffe nicht nur Platz für Gott; glaube auch, dass Gott genug Platz für dich hat.»
— Oswald Chambers

DEIN UMFELD IST KEIN ZUFALL

«Entweder die Umstände bestimmen dein Leben, oder du bestimmst die Umstände.» — *Leo Bigger*

In welches Rudel und an welchem Ort ein Löwe geboren wird, kann er nicht entscheiden. Aber: Es ist kein Zufall, dass du in Afrika, Asien, den USA oder in Hintertupfingen geboren wurdest.

«Umarme den Ort, an dem du bist. Gott ist schon längst da.»

Warum nur gibt es so viele Menschen, die nichts mit ihrem Leben anzufangen wissen, die todunglücklich über das Umfeld sind, in das sie hineingeboren wurden, was für Eltern sie haben und wie sie aussehen?

Der reichste Ort der Welt ist nicht die Zürcher Börse oder irgendein Ölfeld des Nahen Ostens. Geschweige denn eine Gold- oder Diamant-Mine in Südafrika. Ironischerweise sind es die Friedhöfe. In diesen Gräbern liegen Millionen von Träumen und Ideen, die nie umgesetzt wurden. Da liegen Bücher begraben, die nie geschrieben, Geschäftsideen, die nie verwirklicht, und Freundschaften, die nie geschlossen wurden. Es ist jammerschade, welch unglaublicher Wert an Potenzial in diesen Gräbern liegt. Zum Glück wird dies nicht deine und meine Geschichte sein!

«Gott interessiert sich manchmal für seltsame Leute, zum Beispiel für dich und mich.» — *Oswald Chambers*

Und zwar interessiert er sich für dich dort, wo du gerade bist. Schau wieder den Löwen an. Er kommt an den unterschiedlichsten Orten vor. Es gibt (gab) …

→ Höhlenlöwen
→ Asiatische Löwen
→ Berberlöwen
→ Afrikanische Löwen
→ Kaplöwen
→ Transvaal-Löwen
→ Massai-Löwen
→ Senegal-Löwen
→ Kongo-Löwen
→ Angola-Löwen

Die Entscheidung, wo er leben wird, wurde für ihn getroffen. So ist es auch in unserem Leben.

Wo und in welches Umfeld wir geboren werden, konnten wir nicht entscheiden. Dies hat Gott für uns entschieden. Und er hat sich dazu mehr Gedanken gemacht, als du jemals in deinem ganzen Leben denken kannst. Und der Ort passt haargenau. Ganz bestimmt.

Du hast nun zwei Möglichkeiten. Entweder du tust an dem Ort, an dem du gerade bist, das, was vor deinen Füßen liegt. Oder du pfeifst auf deine Bestimmung.

Falls du dich für Ersteres entscheidest, wirst du in deinem von Gott gegebenen Umfeld vieles lernen und ausprobieren können, das du später in deinem Leben brauchen wirst.

Als David Löwen und Bären in die ewigen Jagdgründe schickte, war er sich nicht bewusst, dass Königsblut durch seine Adern fließt. Er konnte sich in seinem wolligen Umfeld in der Kunst des Schafe-Verteidigens üben. Später war er ein Verteidiger für Menschen. Was für eine Karriere!

Als ich auf dem Land, wo sich Fuchs und Hase «Gute Nacht, Dreckskerl!» wünschen, einige Kuh-Discos zu den Klängen von DJ Ötzi organisierte, war mir in keinster Weise bewusst, dass ich ein visionärer Leiter bin, der etwas aufbauen und führen kann.

Als ich in der Schule einen Vortrag über Musik hielt und mich im Sprechen vor Leuten übte, war mir in keinster Weise bewusst, dass in mir ein kleiner Charles Spurgeon steckt, der wie ein Himmelsmeister predigen kann.

Als ich mit meiner christlichen Rockband in der katholischen Kirche spielen durfte (und nebenbei meine Mitgliedschaft beim Papst aufs Spiel setzte) und danach fünf Minuten über meinen Glauben sprechen durfte, war mir in keinster Weise bewusst, dass Gott mir in meinem Umfeld eine Möglichkeit gibt, zu üben, mich in der Kirchenlandschaft zu bewegen.

«Aber Gott hatte mich in seiner Gnade schon vor meiner Geburt dazu bestimmt, ihm einmal zu dienen. Als die Zeit dafür gekommen war.» — *Galater 1,15 (Hfa)*

SEI DIE PERSON, DIE DU BIST

Um mit der Peperoni-Geschichte vom Anfang zu schließen: Gott hat alles in dich hineingelegt, was nötig ist, um zu der Frau, zu dem Mann zu werden, die er sich ausgedacht hat. Gleichzeitig müssen wir den schlummernden Löwen in uns wecken. Wir brauchen Mut, uns anzunehmen. Wir brauchen majestätisches Denken, die Energie vom Geist Gottes und eine gesunde Portion Stolz!

Ich bitte dich: Umarme dich, wie Gott dich gemacht hat.

«Der dich gemacht hat, weiss auch, was er mit dir machen will.» — *Augustinus*

Warum ist dies so wichtig? Ich habe vor ein paar Wochen einen Mann getroffen, der eine Glatze hat. Ihm sind die Haare verrutscht; jetzt hat er Brusthaare. Mit hängenden Schultern meinte er traurig: «Leo, ohne Haare auf dem Kopf fühle ich mich wie ein halber Mann.» Er konnte und kann mit seiner Problemzone nicht umgehen. Er kann nicht Ja sagen dazu.

Ich stelle fest, dass viele Menschen – und dazu gehöre auch ich des Öfteren – herumlaufen und die Fakten, wie wir sind, nicht umarmen können. Weil wir immer jemand anders sein möchten, der wir aber nicht sind und nie sein werden.

Deshalb wünsche ich dir und mir den Mut, ein für alle Mal vor dem Spiegel zu stehen und zu sagen: So wie ich bin, und da, wo ich bin, stehe ich auf und rocke!

ROA
ARR
RR!!

«Der dich gemacht hat, weiß auch, was er mit dir machen will.»

Augustinus

KAPITEL 2

SICH EINZIGARTIG FÜHLEN

ACHTE AUF DEINE GEDANKEN,

DENN SIE WERDEN WORTE.

ACHTE AUF DEINE WORTE,

DENN SIE WERDEN HANDLUNGEN.

ACHTE AUF DEINE HANDLUNGEN,

DENN SIE WERDEN GEWOHNHEITEN.

ACHTE AUF DEINE GEWOHNHEITEN,

DENN SIE WERDEN DEIN CHARAKTER.

ACHTE AUF DEINEN CHARAKTER,

DENN ER WIRD DEIN SCHICKSAL.

Talmud

Tori Spelling hatte kein einfaches Leben – aber es war luxuriös. Als Tochter von Über-TV-Produzent Aaron Spelling durfte sie bereits als Teenager in den größten amerikanischen TV-Serien mitspielen, und für «Beverly Hills 90210» wurde die Rolle der Donna Martin extra für sie erfunden. Nun meint sie aber, dass sie früher sehr schüchtern war und sich nicht hübsch fühlte.

In ihrem Blog «ediTORIal by Tori Spelling» hat sie ihrem früheren Ich einen Brief geschrieben. Sie rät der 21-jährigen Tori dabei, mit sich selber zufrieden zu sein.

«Ich würde der 21-jährigen Tori erzählen, dass sie stark, hübsch und klug ist und alles tun kann, was sie sich in den Kopf setzt. Mit 21 war ich mir selbst – neben einem schlechten Freund – mein größtes Hindernis», sagt Spelling heute.

Wie wir uns fühlen, hat entscheidenden Einfluss auf unser Lebensglück.

Ich versichere dir, deine Gefühle lügen viel zu oft. Du bist im Bilde Gottes geschaffen. Gott hat in jedem von uns seine Bestimmung eingraviert. Und zwar mit Schönschrift. Du bist kein zugefallenes Zufallsprodukt.

Fühlst du dich als Gebrauchsgegenstand, der schlussendlich auf dem Sperrmüll landet?

Fühlst du dich als Spielball, den andere sich zuwerfen, solange es ihnen Spaß bereitet – und plötzlich lässt man dich links liegen?

Fühlst du dich als winziger Tropfen, der sich im riesigen Meer der Menschheit einfach auflöst?

Fühlst du dich als loses Blatt, vom Wind getrieben, von irgendwo nach nirgendwo getragen?

Fühlst du dich als unbeschriebenes Blatt, auf das andere Mächte dein Leben schreiben?

Du bist kein Gebrauchsgegenstand. Du bist kein Hello-Kitty-Spielball, kein winziger Tropfen, kein Blatt im Wind und schon gar keine unbeschriebene Seite, sondern himmelhochjauchzendes Ebenbild Gottes. Und bevor du überhaupt zum ersten Mal Luft tief in deine Lunge einatmest, flüstert Gott dir zu: «Ich liebe dich!» Oh yeah, Baby!

«Völker gebe ich für dich hin, ja die ganze Welt, weil du mir so viel wert bist und ich dich liebe.»
— Jesaja 43,4 (GNB)

Viele von uns wissen:

- → Gott hat mich wunderbar gemacht.
- → Gott hat mich einzigartig gemacht.
- → Gott hat keinen Fehler gemacht.

Das weißt du im Kopf. Aber der Weg vom Kopf ins Herz – dorthin, wo du es fühlst – ist länger als der New-York-Marathon. Und wer schafft den schon, außer ein sich selbständig machender Running Shoe?

Weshalb fällt es so schwer, sich einzigartig zu fühlen?

TWO
LIONS

DIE BIBEL SAGT, UNSER HERZ UND UNSERE GEDANKEN BEFINDEN SICH ZWISCHEN DEN FRONTEN ZWEIER LÖWEN.
DER EINE LÖWE IST JESUS, «DER LÖWE AUS DEM STAMM JUDA». ER BRÜLLT UNS AUS DEM GRABEN ENTGEGEN: «DU BIST MEINE NUMMER EINS!» DER ANDERE LÖWE IST DER TEUFEL.

Die Bibel spricht vom Teufel in 1. Petrus 5,8:

«Seid besonnen und wachsam und jederzeit auf einen Angriff durch den Teufel, euren Feind, gefasst! Wie ein brüllender Löwe streift er umher und sucht nach einem Opfer, das er verschlingen kann.» *— Petrus 5,8 (NLB)*

Der teuflische Löwe brüllt auch, seine Message ist allerdings etwas destruktiver: «Ich bin mir nicht sicher, ob du eine Nummer eins bist. Ehrlich gesagt, hege ich extreme Zweifel daran. Und wenn ich es mir recht überlege, bist du die Null, nicht die Eins!»

Der Teufel kann nichts Neues schaffen. Deshalb muss er Jesus kopieren. Einfach in negativer Weise.

Zwei Löwen.

Der Teufel brüllt uns entgegen.

Jesus brüllt uns entgegen.

Jetzt kommt es darauf an, wer lauter brüllt und wer nicht weicht.

Der Teufel brüllt gerne nachts, wenn wir zu schwach sind, den Versuchungen zu widerstehen. Gefährlich!

Welche bestimmten Situationen gibt es, in denen du anfällig für die Versuchungen bist? Dies zu analysieren ist wichtig, weil es hilft, das Gebrüll des Teufels zu entlarven. Wir müssen unsere Schwachstellen herausfinden, um dem fiesen Löwen Paroli bieten zu können. Sonst tappen wir immer wieder in dieselbe Falle, in die der Teufel uns ununterbrochen locken will.

1. Wann wirst du am häufigsten auf die Probe gestellt?

- → Welche Tageszeit ist deine «schwächste» Zeit? Wann lässt du es gerne schleifen?

2. Wo bist du am meisten in Versuchung?

- → Ist es am Arbeitsplatz?
- → Zu Hause?
- → Im Sportverein?
- → In der Bar?
- → Oder im Hotel?

3. Wer führt dich in Versuchung?

- → Sind es deine Freunde?
- → Deine Arbeitskollegen?
- → Deine Kinder?
- → Oder fremde Menschen?

4. Wie fühlst du dich, wenn du in Versuchung gerätst?

- → Bist du müde?
- → Einsam?
- → Depressiv?
- → Gelangweilt?
- → Gestresst?
- → Verletzt?
- → Erfolglos?
- → Oder erfolgreich?

Wie du merkst, überlässt der Teufel nichts dem Zufall, und er weiß haargenau, wann er brüllen muss – nämlich wenn du schwach bist. Dann gibt er Gas, und wie!

> ***«Gott zieht an einer Hand, der Teufel an beiden Beinen.»*** *— Wilhelm Busch*

Da geht's ans Eingemachte, und ehe du dich versiehst, hast du Beine wie eine Giraffe, und das sieht bei einem Menschen ziemlich übel aus.

Jesus, der Löwe, brüllt. Aber der Teufel, der andere Löwe, brüllt auch aufs Heftigste. Der Kampf findet in der Nacht statt, wenn du und ich am schwächsten sind.

Lass uns in diesem Kapitel auf Safari gehen und entdecken, weshalb ein Löwe brüllt.

SAFARI

Lass uns in diesem Kapitel auf Safari gehen und entdecken, weshalb ein Löwe brüllt.

DU BIST STÄRKER, ALS DU DENKST

«Auf die Dauer nimmt die Seele die Farbe der Gedanken an.» — *Marc Aurel*

Wer einmal einen Löwen brüllen gehört hat, der hat keine Nackenhaare mehr. Neben einem Löwengebrüll hört sich das Aufheulen eines Ferrari-Motors wie das Miauen einer Katze an.

Die Kraft und die Lautstärke des Brüllens geben Auskunft über die Größe, das Alter und die körperliche Verfassung des Königs der Tierwelt.

Starkes Brüllen – krasser Löwe!

Schwaches Brüllen – Löwe von seiner Frau auf Diät gesetzt, im Stimmbruchalter oder im Altersheim!

Ein Löwe brüllt, weil er seine Umgebung über sein Territorium in Kenntnis setzen und verteidigen will. Das Gebrüll hallt acht Kilometer durch die Steppe und lässt jeden wissen:

Ich bin wach und stark – und ich bin hier!

Ich bin bereit, mein Territorium und mein Familienrudel gegen jeden zu verteidigen, der es wagt, mich herauszufordern. Ich werde nicht ruhig zusehen, wenn jemand versuchen sollte, meine heißen Bräute oder meine Kids wegzulocken. Ich werde es auch nicht zulassen, dass elende Schurken, die nicht zur Familie gehören, sich an unseren netten Gazellen-Happen vergreifen und unser Barbecue stören.

In Hosea 11,10 lässt Gott als Löwe sein Halszäpfchen wackeln:

«Denn eines Tages wird das Volk [Gott] dem Herrn nachfolgen. Er wird brüllen wie ein Löwe. Ja, er, der Herr, brüllt, und die Söhne werden zitternd vom Westen zurückkehren.»
— *Hosea 11,10 (NLB)*

Das erste Mal brüllt Jesus, der Löwe, um dem anderen Löwen, dem Teufel, zu verklickern: «Hier bin ich, Kleiner! Du siehst mich nicht, aber du hörst mich. Und noch was: Ich bin so was von hellwach! Ich kenne die Muster deiner Versuchung – aber nicht mit mir!»

Weil ich es mag, als kleiner Löwe in den Fußstapfen des Königs der Löwen, Jesus, zu laufen, hab ich mir Gedanken gemacht: Wo in meinem Leben muss ich mich hinstellen und brüllen, damit der Teufel es hört?

STEH AUF UND GLAUBE AN DICH

Das Volk Gottes hatte auch große Träume. Doch die Angst vor den übermächtigen Nachbarvölkern ließ sie schnell zerplatzen. Sie fühlten sich ameisig, talentfrei und neben den Schuhen. Gott musste ihnen in seiner Geduld immer wieder ihr Potenzial aufzeigen. Damit hat er zum Glück bis heute bei dir und mir nicht aufgehört.

Vor vielen Jahren bin ich als Quereinsteiger und Extrem-Laie Pastor geworden. Ich wusste knapp, wie man die Bibel richtig herum hält.

In den Anfängen von ICF hörte ich oft: «Wenn du ein guter Pastor wärst, würdest du dies und jenes richtig machen.» Diese Liste war länger als der Kassenzettel vom wöchentlichen Großeinkauf der Schweizer Armee.

Ein weiterer Top-Ten-Satz der Gründungsjahre, den meine Ohren andauernd zu Gehör bekamen: «Wenn du mehr beten würdest, hätten wir Erweckung.» Anscheinend war ich der Einzige, der dafür qualifiziert war. Logisch, bei meiner Ausbildung!

In meinem Fall ging der Druck in meinem jungen Pastorenleben von Menschen aus. Manchmal üben ihn unsere eigenen Gedanken aus, und manchmal kommt der Druck vom Teufel selbst.

Lass mich an dieser Stelle eines klarstellen: Von Gott kommt der Druck nie!

Schade, dass mir das damals niemand gesagt hat. Eines Tages erbarmte sich zum Glück Gott höchstpersönlich und offenbarte sich in einem Bild:

«Leo, wenn du ins Fitnesscenter gehst, wird niemand von dir erwarten, dass du zu Beginn 200 kg stemmst. Falls du es tun würdest, ratschdibums, hättest du einen Muskelriss und würdest für lange Zeit gar nichts mehr heben außer der Arztrechnung. Nein, wenn du ins Fitnesscenter hineinspazierst, drückst du am Anfang 40 kg. Danach erhöhst du auf 45 kg, dann auf 50 kg. Jedes Mal, wenn du frisch geduscht aus der Mukibude stolzierst, hast du keinen Muskelfaserriss, sondern bloß Muskelkater. Muskelkater bedeutet: Du gehst an die Grenzen deiner Möglichkeiten. Aber 200 kg würden bedeuten: Muskelfaserriss, Game over, aus die Maus und tschüss!»

Ich mag Gottes Art, mir seine Sichtweise zu erklären. Einfach, klar, pragmatisch.

Am folgenden Tag sprach er weiter: «Sohnemann, es ist alles in dir drin, was du für das nächste Level benötigst, um diese Kirche zu leiten.»

Das Gleiche gilt dir: Es ist alles für das nächste Level in dir!

Wenn deine Kinder dir sagen: «Aber Mutti, du musst doch Kugelfisch für uns kochen können!» Lass die Kids labern, Gott sagt: «Es ist alles in dir drin, was du brauchst, um das nächste Level in deinem Leben als Mutter zu erreichen, meine Liebe.»

Gott überfordert dich nicht – er verursacht höchstens a bisserl Muskelkater. Aber mit Katern wirst du allemal fertig. Gott bringt dich an die Kante/Grenze deiner Möglichkeiten, aber niemals über die Kante hinaus. In 1. Korinther 10,13 sagt die Bibel:

«Vergesst nicht, dass die Prüfungen, die ihr erlebt, die gleichen sind, vor denen alle Menschen stehen. Doch Gott ist treu. Er wird die Prüfung nicht so stark werden lassen, dass ihr nicht mehr widerstehen könnt. Wenn ihr auf die Probe gestellt werdet, wird er euch eine Möglichkeit zeigen, trotzdem standzuhalten.» — *1. Korinther 10,13 (NLB)*

Du kannst überwinden. Löse dich von dem Druck, wo immer er in deinem Leben auch herkommt. Schieß ihn auf den Mond. Er ist Käse. Er hat es nicht verdient, dass du dich auch nur noch eine Sekunde mit ihm beschäftigst. Denn er kommt nicht von Gott. Nie. Gott überfordert dich nicht, er verursacht höchstens ein wenig Muskelkater. Und der sorgt für Mukis.

QUEREINSTEIGER LEO

DENKE POSITIV ÜBER DICH

Wie du dich siehst, wie du über dich fühlst, wirkt sich in großem Ausmaß auf dein Leben aus. Deshalb: Fang an, dich zu sehen, wie Gott dich sieht. Erkenne, was Gott für dich fühlt. Ein explosives Feuerwerk voller positiver Raketen-Emotionen!

Dein Wert ist nicht abhängig von deiner Performance. Dein Wert findet sich darin, dass du ein von Gott erschaffenes Kracher-Wunder-Kind bist! Atme seine Liebe wie die frische Herbstluft, wenn du morgens das Fenster öffnest, und du wirst sehen: Der Mief verschwindet. Jeden Morgen neu.

> ***«Unsere Gefühle kommen und gehen, aber Gottes Liebe bleibt ewig.»*** — *Wilhelm Busch*

Leider fühlen wir uns oft alles andere als geliebt, sondern …

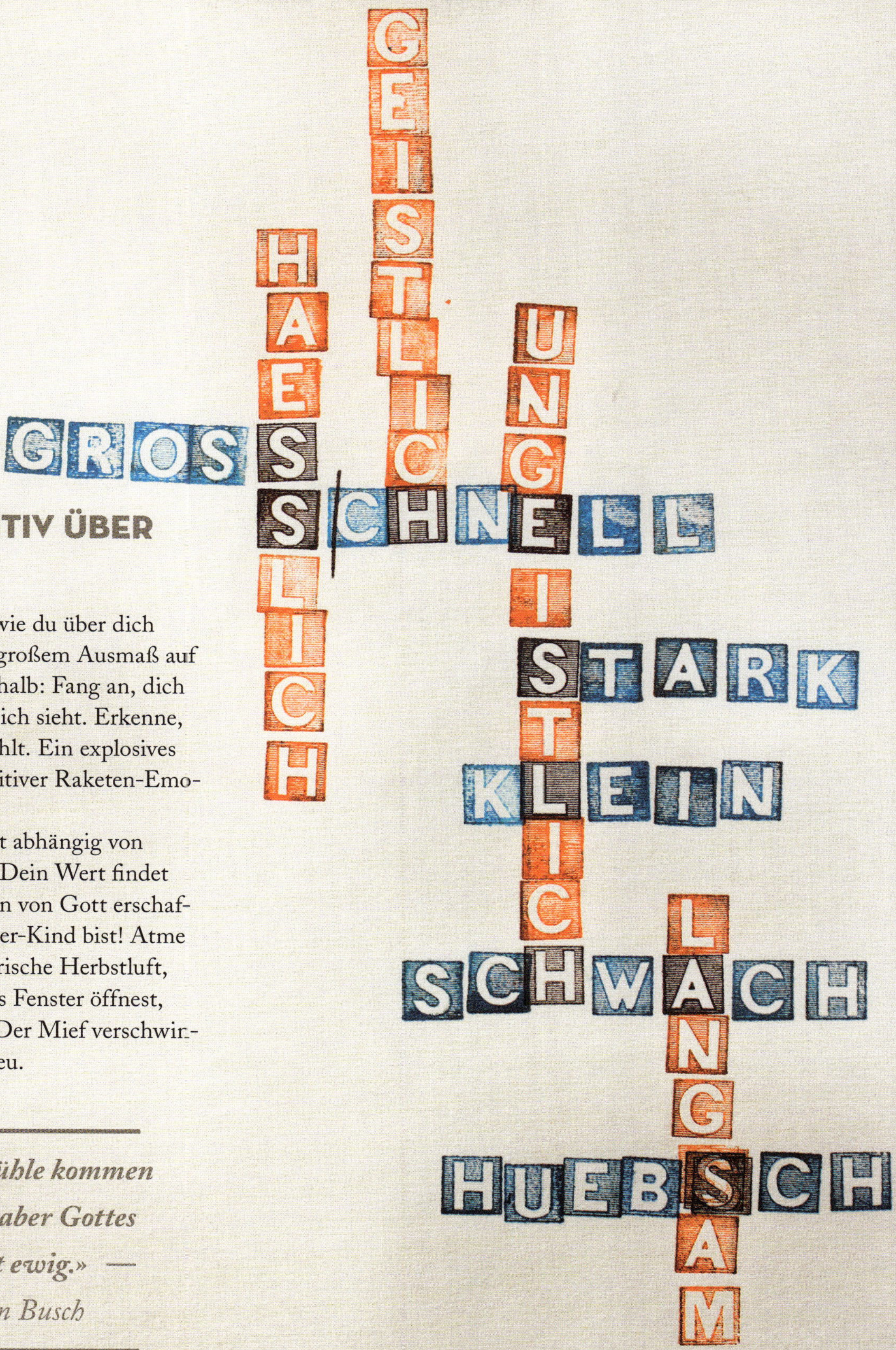

Der hüpfende Punkt ist: Unsere eigene Wahrnehmung ist getrübt. Lass mich dazu eine Geschichte erzählen.

Es war einmal ein Löwe, der in einer Wüste lebte, die ständig vom Wind durchweht war.

Deshalb war das Wasser in den Wasserlöchern, aus denen er normalerweise trank, niemals ruhig und glatt; der Wind kräuselte die Oberfläche, und nichts spiegelte sich so richtig im Wasser.

Eines Tages wanderte der Löwe in einen Wald, wo er jagte, bis er hundemüde und saudurstig war. Auf der Suche nach Wasser folgte er seinem Goldnäschen und kam zu einem Teich mit dem kühlsten, verlockendsten und angenehmsten nassen Blau, das man sich überhaupt vorstellen kann.

Der Löwe näherte sich dem Teich und streckte seinen Schädel übers Wasser, um zu trinken. Plötzlich sah er jedoch sein eigenes Spiegelbild und dachte, es sei ein anderer Löwe. «Mist», sagte er zu sich, «das Wasser gehört wohl einem anderen Löwen, ich sollte vorsichtig sein.»

Er zog sich zurück, aber der Durst trieb ihn wieder zum Wasser; und abermals sah er den Kopf eines furchterregenden, hässlichen Löwen, der ihn von der Wasseroberfläche her doof anmachte. Diesmal hoffte unser Löwe, er könne den «anderen Löwen» verjagen, und riss sein Maul auf, um Eindruck zu schinden. Aber als er gerade seine Zähne fletschte, sperrte auch der andere Löwe sein von Mundgeruch stinkendes Maul auf, und der gefährliche Anblick erschreckte unseren Löwen und ließ ihn an seiner Männlichkeit zweifeln.

Nachdem einige Zeit vergangen war, wurde er aber so durstig und verzweifelt, dass er zu sich selber sagte: «Löwe hin, Löwe her, ich werde jetzt von diesem Wasser trinken.» Und wahrlich, sobald er sein Gesicht in das Wasser tauchte, war der andere Löwe auch schon verschwunden.

Und die Moral von der Geschicht: Sieh dich so, wie Gott dich sieht. Hab den Mut, dich vor den Spiegel zu stellen und dich so zu betrachten, wie du wirklich bist, ohne Ablenkung des täglichen Lebens, das uns oft ein falsches Bild unserer selbst vermittelt. Und dann freu dich über Ecken und Kanten, denn kantenlos rund ist langweilig, dreht sich immer im Kreis und kommt nicht vorwärts.

Es gibt einen zweiten Grund, weshalb ein Löwe brüllt.

DU BIST EINZIGARTIGER, ALS DU DENKST

Im anfangs erwähnten Bibelvers Hosea 11,10 brüllt Gott als Löwe ein zweites Mal.

Warum brüllt ein Löwe in der Wildnis zweimal?

Beim ersten Mal setzt er ein Ausrufezeichen: «Da bin ich, und ich bin stark!»

Beim zweiten Mal brüllt ein Löwe für sich selber. Er baut sich damit auf. Wenn ihn niemand unterstützt, wenn ihm niemand sagt: «Du bist allererste Sahne!», sagt er es sich selbst. «Ich bin die Crème de la Crème!»

Doch bevor ein Löwe brüllen kann, muss er seine Haltung ändern. Wer seine Macht auf so urwürdige Weise proklamieren will, muss sein Haupt beugen. Der Löwe senkt seinen mächtigen Kopf, und der Brustkorb weitet sich aus, um die Lungen mit Luft zu füllen. Dann legt er los, und wie!

Genau so sollten auch wir unsere Haltung einnehmen und ein gewaltiges «Roaaarrrr» hervorbringen. Um brüllen zu können, müssen wir unsere hocherhobenen Köpfe senken und uns beugen. Diese Haltung der Demut und des Gebets ist die Position, in der wir neu mit dem Atem des Heiligen Geistes gefüllt werden. Und dann brüll und lass es krachen, aber wie! Und stimme so in Gottes Gebrüll über deinem Leben ein.

Wie Gebrüll eines Löwen kommt die Stimme des Herrn aus der Höhe, wie Donner dröhnt sie von seiner heiligen Wohnung her. *— Jeremia 25,30 (NLB)*

Ich bin stark

Ein Löwe kann ansatzlos bis zu zehn Meter weit springen. Seine Oberschenkel strotzen vor Kraft. Gott schenkt dir Kraft. Jeden Tag.

Ich bin schnell

Ein Löwe braucht weder Doping noch Anlaufzeit. Locker sprintet er mit einem Lächeln auf den Backenzähnen mit sechzig Stundenkilometern seine Runden auf der Steppenbahn. Gott schenkt dir Schnelligkeit. Jeden Tag.

Ich bin fokussiert

Wenn ein Löwe jagen geht, kannst du mit ihm nicht diskutieren. Er wird sich den Gazellen-Braten nicht mehr vom Teller nehmen lassen. Falls du in diesem Augenblick mit ihm über die neusten Kindererziehungstipps fachsimpeln willst, wird dich der Buddy abblitzen lassen: «Falscher Moment, Kumpel!» Gott schenkt dir Fokus. Jeden Tag.

Ich habe Spaß

Ein Löwe ist ein Party-Crasher, er lässt keine aus. Er ist voller Spaß und voller Lebens- und Spielfreude. Ein Löwe jagt seine Beute immer im Spieltrieb, und das gemeinsam mit andern. Gott schenkt dir Spaß. Jeden Tag.

Ich bin entspannt

Ein Löwe schläft und döst gerne schon mal achtzehn bis zwanzig Stunden am Tag. Ah, deshalb sind die so schön! Gott schenkt dir Entspannung. Jeden Tag.

Ich bin beschenkt
Ein Löwe liebt seine Krallen. Die Dinger fährt er nach Belieben ein und aus wie ein Flugzeug das Fahrgestell. Er kratzt, streichelt, zerpflückt und spielt damit. Und er kann sich sogar die Maniküre sparen, denn seine Krallen werden nie stumpf, weil Gott dafür gesorgt hat, dass die Pfoten die Krallen schützen. Was für ein Geschenk. Der Löwe nimmt es dankbar an und investiert die gewonnene Zeit gerne in ein Mittagsschläfchen. Gott beschenkt dich. Jeden Tag.

Ich bin schön
Ein Löwe ist eine Augenweide. Er bezaubert durch ein glattes Fell, ausdrucksstarke Augen, Athletik und Eleganz. Gott schenkt dir Schönheit. Jeden Tag.

Ein Löwe brüllt, um sich selber zu motivieren und Mut zu machen. Dadurch glaubt er an seine Stärke und seine Majestät, er fühlt sie, spürt sie, genießt sie und verkörpert sie. Und das nur, weil er sich selber ermutigt. Deshalb:

SPRICH DEINE EINMALIGKEIT AUS

Wenn dir niemand ein nettes Wort schreibt und niemand dir ein Kompliment macht, habe ich die Lösung. Schreibe dir selber nette Briefe, auch wenn dir das im ersten Moment albern erscheint. Albernheit lohnt sich, weil sie deprimierende Situationen verändert.

Also los. Papier und Stift zur Hand, und nun schreibe auf, was du an dir magst.

Liste deine Stärken auf.

Liste deine Erfolge auf.

Liste einige der guten Sachen auf, die du für andere getan hast.

Wenn niemand dich feiert, lerne dich selber zu feiern!

Wenn dir niemand Komplimente macht, mach dir selber Komplimente!

Wenn niemand dir auf die Schulter klopft, lass deine Hand walten!

Es ist nicht die Verantwortung anderer Leute, dich ermutigt und topmotiviert zu halten. Es ist deine eigene Verantwortung. Ermutigung kommt von innen, von der Kraft des Geistes Gottes, der in dir lebt. Schau Gott an!

Gott ist unser großes Vorbild. Er lobt sich auch selber.

In 1. Mose 1 lesen wir, dass Gott das Wasser kreierte und kommentierte: «Gut gemacht!» Er erschuf den Himmel und meinte: «Nice!» Er erschuf die Fische, schnappte sich eine Taucherbrille und blubberte: «Wohooooo, einfach göttlich!» Er erschuf dich und mich, dann klopfte er sich auf die Schulter: «Das hast du wieder mal sensationell hingekriegt, lieber Gott!»

Ich liebe die Tatsache, dass Gott sich selber lobte und lobt. Lass es uns auch tun.

Die meiste Zeit sind wir viel zu kritisch mit uns selber und nur auf das fokussiert, was wir falsch machen. Wir denken nicht mal daran, uns selber Komplimente zu machen. Kein Wunder, dass wir als Miesepeter und Deproheidis enden.

Jede Woche, wenn ich die Bühne der ICF-Kirche verlasse, schaue ich mich backstage im Spiegel an und sage: «Heute hast du einen richtig guten Job gemacht!» Mag sein, ich hab nicht so gepredigt wie Billy Graham zu seinen besten Zeiten, aber ich hab mein Bestes gegeben. Und das ist alles, was zählt.

Ich garantiere dir: Wenn du dir nicht selber Komplimente machst, wirst du nie das werden, wozu dich Gott erschaffen hat. Denn ohne sie wirst du kein Gefühl dafür kriegen, wie du in Gottes Augen wirklich bist. Sprich diese Komplimente aus und beobachte, wie deine Gefühle nachziehen. Und dann: Fühle dich gut, so wie du bist.

Ich spreche nicht davon, arrogant zu sein wie ein langhaariger, Leggings tragender Rockstar aus den 80ern oder zu denken, dass du besser bist als alle anderen.

Ich spreche davon, dass du lernst, dich zu lieben. Wenn du dich nicht selber liebst, wirst du nie fähig sein, an jedem einzelnen Tag glücklich zu sein.

Ich liebe es, anderen Leuten Komplimente zu machen, aber ich habe gelernt, auch mir selber Komplimente zu machen.

«Ich bin ein fantastischer Vater.»
«Ich bin wahnsinnig kreativ.»
«Ich sehe umwerfend aus.»

Ich liebe die Gaben, die Gott mir gegeben hat. Ich liebe meine Persönlichkeit. Ich liebe meine Größe. Ich liebe mein Alter. Ich liebe meine Fähigkeiten.

Es ist einfach, ermutigt zu bleiben, wenn du lernst, dir selber Komplimente zu machen.

Manchmal denken wir, dass es ein Zeichen von Demut ist, wenn wir anderen Komplimente machen und uns gleichzeitig schlechtreden.

Immer wieder kommen Frauen und Männer auf mich zu und sagen ehrfurchtsvoll: «Ich könnte nie vor großen Menschenmengen sprechen wie du.»

Dann erwidere ich: «Vielleicht hast du recht, aber weißt du, was? Ich könnte nie Kinder unterrichten wie du. Ich könnte nie ein Flugzeug fliegen wie du. Ich könnte nie Häuser entwerfen wie du.»

Die Wahrheit ist: Jeder von uns kann (mindestens) etwas sehr gut. Und wenn du das anders siehst, dann bist du immer noch auf der Suche nach deinem großen Talent. Ich bitte dich, gib nicht auf!

Wir dürfen nicht anderen zuschauen und denken: «Wahnsinn, sie ist so talentiert. Er ist soo kreativ. Sie ist sooo diszipliniert. Sie sieht soooo gut aus. Und ich?»

Eine junge Frau mit dem Namen Brittany kam an eine neue Schule in Amerika, als sie die Mittelstufe erreichte. Die meisten Studenten waren zusammen aufgewachsen und seit Jahren befreundet. Brittany fand nur schwer Anschluss und verbrachte die Pausen im Zwiegespräch mit ihrem Pausenbrot.

In der Schule war es Tradition, dass während der ersten Stunde am Valentinstag vor der ganzen Klasse vorher abgesendete Nelken geliefert wurden. Es war eine spannende Angelegenheit zu sehen, wer wie viele Nelken bekommen würde.

Aber Brittany wusste, dass sie keine Nelken erhalten würde. Sie war neu an der Schule und hatte keine Freunde. Sie fürchtete diesen Tag.

Aber dann hatte sie die zündende Idee. Anstatt Krise zu schieben und zuzusehen, wie alle anderen Blumen erhalten, entschied sie sich, sich selber einige zu senden. Sie nahm fünf Dollar mit zum Büro der Schule und verlangte zwanzig Lieferformulare.

Am Valentinstag erhielten die meisten Frauen drei oder vier Nelken. Die wirklich beliebten Mädchen erhielten vielleicht fünf oder sechs geliefert. Aber während Brittanys erster Stunde schien es, dass jede zweite Nelke ihr zugestellt wurde. Ihre Klassenkameraden schauten sie an und dachten: «Wer ist wohl dieses Mädchen? Sie hat so viele Freunde!»

Man hätte denken können, dass Brittany das beliebteste Mädchen der Schule war. Am Ende des Valentinstags wurde sie von der ganzen Klasse beneidet. Sie hatte mehr Nelken als alle anderen. Und ihr Leben änderte sich schlagartig. Jeder wollte mit so einem beliebten Mädchen befreundet sein.

(Joel Osteen: «Every Day a Friday», Nashville: Faith Words, 2011, Seite 258.)

Du brauchst Brittanys radikale Einstellung: Wenn mich jetzt niemand feiert, dann feiere ich mich selber.

Die Nelke (Dianthus)

~~YOU'RE MY~~ I am my

Wenn mich im Moment niemand zum Abendessen ausführt, mach ich mich schick, bestell mir ein Taxi und gehe in ein nettes Restaurant, wo ich nicht dumm angeschaut werde. Wenn mir niemand ein Geburtstagsgeschenk sendet, kaufe ich mir selber ein Geschenk.

Die Zeit ist reif, das Jammertal zu verlassen, aktiv zu werden und aufzuhören, Opfer zu spielen, sonst endest du wie Monsieur Jammerlappen.

Herr Jammerlappen geht zu seinem Pastor des Vertrauens und sagt zu ihm: «Herr Pastor, mein Leben ist so bedeutungslos. Ich bewege nichts, ich habe keine gute Arbeitsstelle, und niemand mag mich. Es gibt nichts Positives in meinem kümmerlichen Leben.»

Pastor: «Herr Jammerlappen, es tut mir leid, dass Ihre Frau gestorben ist!»

Mann: «Nein, nein, meine Frau lebt noch!»

Pastor: «Ah, schon etwas Positives. Sie haben eine Frau! – Es tut mir leid, dass Ihr Haus durchs Feuer zerstört wurde!»

Mann: «Nein, nein, mein Haus ist nicht abgebrannt!»

Pastor: «Ah, positiv, Ihr Haus steht noch! – Es tut mir leid, dass Sie an Ihrer Arbeitsstelle gekündigt wurden!»

Mann: «Nein, ich arbeite noch immer.»

Pastor: «Ah, Sie haben eine Arbeitsstelle! – Es tut mir leid, dass Sie todkrank sind!»

Mann: «Aber ich bin gesund!»

Pastor: «Ah, Sie sind gesund! Mann, Mann, Mann, was Sie alles haben! Die Frau, das Haus, der Job, die Gesundheit – und Sie sehen dies alles nicht? Für Sie wäre es an der Zeit, mal beim Optiker vorbeizuschauen und dann hinauszugehen und für alle hörbar ‹Großer Gott, wir loben dich› in A-Dur zu singen! Es scheint, als hätte der Teufel Ihnen zu lange gesagt, was Sie nicht sind und haben. Lassen Sie Ihre Stimmbänder erklingen, Grundgütiger!»

Proklamiere über deinem Leben die Güte unseres Gottes im Himmel:

«Ich weiß, dass Gott immer noch auf dem Thron ist. Er hat die komplette Kontrolle über mein Leben. Er hat gesagt, dass seine Pläne für mich gut und keinesfalls böse sind. Ich lebe diesen Tag nicht niedergeschlagen, deprimiert oder mit dem Fokus auf die Sachen, die ich nicht habe. Ich ändere meine Perspektive. Danke, Gott, dass ich am Leben bin. Danke, Gott, dass ich atmen darf. Danke, Gott, dass ich gesund bin. Danke, Gott, für meine Familie. Ich koste das Leben jeden Tag voll aus.»

Richtet also eure Gedanken nach oben und nicht auf die irdischen Dinge! — *Kolosser 3,2 (NLB)*

DU BIST WICHTIGER, ALS DU DENKST

Die Bibel sagt in Hosea 11,10, dass das Volk Gottes aufgrund des brüllenden Löwen zurückkommt.

***«Ja, er, der Herr, brüllt und die Söhne werden zitternd vom Westen zurückkehren.»** — Hosea 11,10 (NLB)*

Der Löwe brüllt, weil etliche Löwinnen und Löwen aus dem Rudel verloren gehen. Sie finden den Nachhauseweg nicht mehr. Der Löwe brüllt: «Ich bin da – wo seid ihr? Kommt wieder nach Hause!»

Unser Gebrüll steckt andere Frauen und Männer an, zu Jesus zurückzukommen, an Jesus festzuhalten und mit Jesus vorwärtszugehen.

Es geht nicht nur darum, wer ich bin. Mein Leben ist auch eine Botschaft für andere Menschen.

Ich bin Gott unendlich dankbar, dass immer wieder Löwen und Löwinnen für mich brüllen und mich motivieren, am Ball zu bleiben. Sie ermutigen mich, leidenschaftlich und erweckt mit Jesus meine Welt zu rocken.

Billy Graham, der mich motiviert, meinen Lauf zu vollenden.

Mutter Teresa, die mich gelehrt hat, dass aus nichts alles möglich ist.

Robert Schuller, der mich herausfordert, immer wieder an den Rand zu gehen.

Bill Hybels, der mich daran erinnert, dass die Kirche die Hoffnung der Welt ist.

Rick Warren, der mir zeigt, dass Theologie etwas Einfaches und Befreiendes ist.

Reinhard Bonnke, der mich anspornt, mit ganzer Kraft das Reich Gottes vorwärts zu treiben.

Heinz und Annelies Strupler, die an mich glaubten und mich förderten.

Meine Eltern, die mir das Leben schenkten und jeden Abend mit mir beteten.

Meine Freunde, die Spaß daran haben, mit mir Kirche zu bauen.

Meine Frau, die mich so liebt, wie ich bin.

Meine Söhne, die mein Leben reich machen.

Sie alle brüllen für mich und sagen mir immer wieder: «Du bist für Gott so wichtig, er brüllt für dich!»

«Denke nicht so viel darüber nach, wer für oder gegen dich ist. Verwende lieber all deine Sorgen darauf, dass Gott bei allem mit dir ist!»

Und wenn du genau hinhörst, wirst auch du feststellen, wie viele Menschen um dich herum brüllen und dich ganz nah beim Löwen aller Löwen halten: Jesus.

BILLYGRAHA
MMUTTERTER
ESAROBERTS
CHULLERBILL
HYBELSRICKW
ARRENREINH
ARDBONNKE
HEINZUNDANN
ELIESSTRUPLE
RMEINEELTE
RNMEINEFREU
NDEMEINEFR
AUMEINESÖHNE

«Denke nicht so viel darüber nach, wer für oder gegen dich ist. Verwende lieber all deine Sorgen darauf, dass Gott bei allem mit dir ist!»

KAPITEL 3

SEIN POTENZIAL NUTZEN

WENN DU KEIN ZIEL HAST,
DANN IST JEDER WEG FALSCH.

Wer das Herz eines Löwen hat, von dem sagt man, er sei mutig. Dieses Sprichwort kommt daher, dass der Charakter eines Löwen von Mut geprägt ist.

Wenn der Löwe ausgewachsen ist, hält er nicht nur Ausschau nach einem schönen Stück Fleisch, sondern auch nach einem Fleckchen schöner Erde für sich. Er nimmt all seinen jungen Mut zusammen, verlässt Vater und Mutter, wandert rum, bis er das passende Revier findet.

Dann stellt er sich mit majestätisch erhobenem Haupt und in seiner ganzen Pracht auf seine vier Beine und gibt so seiner Umgebung zu verstehen: «Dies ist ab sofort mein Revier, hier heirate ich, und hier werde ich meine Söhne und Töchter großziehen. Dafür gebe ich mein Leben.»

Wenn ein Löwe seinen Pfoten nicht die Sporen gibt und er kein Land für sich aussucht, wird er nicht überleben. Er ist gezwungen, für ein Revier zu kämpfen, denn das ist seine Zukunft.

Gott vergleicht in der Bibel nicht nur Jesus, sondern auch uns mit Löwen. Er warnt uns davor, ein schläfriger Löwe zu sein, der nichts für seine Zukunft tut und vergessen hat, dass er berufen ist, seine Stärke auszuleben und ein Gebiet zu erobern.

Deshalb erlaube mir die Frage: Wo ist *dein* Revier, um zu leben?

Jede Frau und jeder Mann ist berufen, ein Gebiet in Gottes großem Reich einzunehmen. Es handelt sich im menschlichen Fall um eine tiefe Ardeschyr-Hagmaier-Leidenschaft[1], etwas, wofür es sich zu leben und vielleicht sogar zu sterben lohnt. Diese Leidenschaft kommt von Gott höchstpersönlich.

Du bist immens, äußerst, super wichtig in Gottes Plan für diese Welt. Nur, dass du das weißt!

Das Gute: Gott hätte nicht den Traum in dein Herz gelegt, wenn er dir nicht schon alles gegeben hätte, um diesen zu realisieren. Das heißt, wenn du einen Traum oder einen Wunsch hast und du weißt, dass dieser von Gott ist, musst du deine kostbare Zeit nicht mit Sorgen verschwenden, ob du alles hast, um ihn in Erfüllung gehen zu lassen. You got it all!

Ich weiß, dass Gott keine Fehler macht. Er beruft dich nicht dazu, etwas zu tun, ohne dir auch die Fähigkeit zu geben, den Traum wahr werden zu lassen.

Gott hat dich passend für deine Welt gemacht. Passend wie ein präziser, gut getimter Pass von Lionel Messi auf dich vor dem Tor. Du musst nur noch einschieben.

Mit anderen Worten: Auch wenn du das Gefühl hast, dass du nicht fähig bist, deine Träume zu verwirklichen, musst du gegen diese Gefühle anboxen und sie in der zwölften Runde endlich auf die Bretter schicken!

Gottes Geist wohnt in dir! Und das ist nicht irgendein bescheuertes kleines Schlossgespenst aus einem Kinderroman von Otfried Preußler, sondern die Kraft Gottes, die alles wegpusten kann und gleichzeitig sanfter ist als eine Mutter zu ihrem neugeborenen Kind. Der Geist Gottes ist deine notwendige Weisheit. Er beinhaltet das Talent, die Fähigkeiten, die Ressourcen, die du für die Eroberung des Reviers brauchst.

Viele Menschen verpassen die verrückten Dinge, die Gott durch sie tun möchte, weil sie sich selber den Glauben an etwas Besseres ausreden.

Als Gott Mose befahl, dem Pharao zu gebieten, die Israeliten freizulassen, stockte Mose. «Jooo, Gott, das ist nicht so mein Ding … mit dem Pharao zu sprechen … ich kann's mit Ziegen und Schafen … und er ist eher ein Rindvieh … schau, wie ich hier herumstottere und stammle. Ich bin kein guter Redner.»

Ich liebe es, wie Gott die Proteste und Ausreden von Mose beantwortete: «Mose, Alter, wer hat deine Zunge angeschweißt? Wer hat deine Stimmbänder eingebaut?»

Mit diesen gezielten Fragen erinnerte Gott seinen Freund: «Mose, ich hab dir alles geschenkt.

[1] *Ein ausgewiesener Experte für lösungsorientiertes Handeln.*

Es ist höchste Zeit, all das zu gebrauchen, was ich dir gegeben habe. Mach meinem Namen keine Schande, sondern Ehre. Hör auf zu heulen und kämpfe endlich für das Wohl deines Volkes und deiner Familie und für dich selber. Do it, Boy!»

Gott hatte einen ähnlichen Auftrag für Gideon, der etwas später lebte. Die Israeliten hatten nach wie vor mehr Feinde als Freunde, und Gideon sollte wie Mose Gottes Volk anführen. Anders als bei Mose wollte Gott Gideons Fäuste, nicht sein Mundwerk gebrauchen.

Gott prophezeite Gideon, dass er die Hebräer aus der Unterdrückung befreien werde, und nannte ihn einen Mann der Tapferkeit. Mit der haperte es aber anfangs schwer.

Gideon versteckte sich unter seiner Bettdecke. «Nein, nicht ich, Gott!», muffelte er herum, «ich bin der Geringste in meiner Familie, absolut null Street Credibility. Alle anderen sind talentierter als ich.»

Gott hielt den Finger an sein Auge: «Ja klar, sogar Schilti, deine Schildkröte! Erzähl das deiner Urgroßmutter.»

«Die lebt nicht mehr.»

«Eben. Zieh dich an, sei ein Mann!»

Weil Gott immer gewinnt, machte sich Gideon auf die Socken. Und er erlebte wie Tausende schon vor ihm:

Lass dich von der Größe deiner Träume und der unermesslichen Weite von Gottes Berufung in deinem Leben nicht einschüchtern. Biete ihnen die Stirn mit der Größe Gottes!

Lass dich von den Schwarzmalern in deinem Leben nicht davon abhalten, vorwärtszugehen. Male ihre Schwarz-weiß-Welt farbig mit dem Pinsel des Mutes und der Unerschrockenheit.

„GOTT GIBT, WAS ES BRAUCHT, UM DAS ZU TUN, WAS ER WILL."

Gott ist kein Mensch, der lügt.
Er ist nicht wie einer von uns,
der seine Versprechen
bald wieder bereut.
Was er sagt, das tut er,
und was er ankündigt, das führt er aus.
Darum habe ich den Auftrag zu segnen.
Wenn Gott jemanden segnen will,
kann ich es nicht verhindern.
Er entdeckt keine Schuld bei den
Nachkommen Jakobs, er findet nichts
Schlechtes an den Israeliten.
Der Herr, ihr Gott,
ist bei ihnen,
sie feiern ihn als ihren König.
Er hat sie aus Ägypten hierher geführt,
er macht sie stark
wie einen wilden Stier.
Gegen die Nachkommen Jakobs
hilft keine Verwünschung,
kein Zauberspruch kann Israel
etwas anhaben.
Gott spricht mit diesem Volk,
wann er es will,
und zeigt ihm, was er vorhat.
Israel steht auf wie ein Löwe,
es erhebt sich wie eine Löwin.

--- 4. Mose 23,19-24 ---

ERWARTE DAS BESTE

Gott ermutigt sein Volk, aufzustehen und an sein Potenzial zu glauben.

Wenn der Löwe sich erhebt, dann geht die Post ab. Niemand traut sich, in sein Revier hineinzuspazieren.

Außer dem Geigenspieler Pierre, der den Löwen die Schönheit der Musik näherbringen wollte.

Er wagte sich buchstäblich in die Höhle des Löwen und betrat das Revier des Löwen, das dieser mit seiner Familie bewohnte. Er glaubte an die Magie der Musik und wollte die harten Jungs mit seiner Geige bezaubern: «In diesem Löwenrevier werde ich ein Platzkonzert geben!», sprach er sich selber Mut zu.

Mutig setzte er den Bogen an, und noch etwas zittrig spielte er den ersten Satz von Brahms' Geigenkonzert auf seiner Stradivari. Der erste Löwe kam heran, lauschte andächtig, legte sich hin und begann wohlig zu knurren. Der Zauber wirkte. Der zweite Löwe kam näher, und bald war es auch um ihn geschehen. Er gesellte sich zu Löwe Nummer eins als Zuhörer. Auch der dritte Löwe erlag in Sekundenschnelle der betörenden Melodie des Geigers. Der Geiger freute sich diebisch, er hatte es geschafft! Enthusiastisch setzte er sein Konzert fort und freute sich, als er Löwe Nummer vier sich nähern sah. Der lief schnurstracks auf den Geiger zu – und fraß ihn auf!

Da sagte der eine Affe zum anderen, beide hatten die ganze Szene aus den Bäumen beobachtet: «Ich hab's dir gesagt: Wenn der taube Löwe Julius kommt, ist es um den Geigenheini geschehen.»

Warum erzähle ich diese Geschichte mit abschließender Pointe? Weil sie völlig unrealistisch ist, und zwar in zweierlei Hinsicht.

Erstens würde sich niemals ein Mensch trauen, das Revier eines Löwen mit einer Geige zu erobern. Und zweitens würde jeder Löwe sein Revier gegen jeden Eindringling sofort verteidigen, so wie Löwe Nummer vier.

Mit der Geschichte möchte ich dich ermutigen, ein Nummer-vier-Löwe zu sein. Steh auf, lebe den Traum und zieh dein Ding durch! Und wenn du dabei niemanden auffrisst, bin ich dir dankbar.

KÄMPFE FÜR DEIN REVIER UND DEIN GEBIET

Weshalb ein Löwe ein bestimmtes Gebiet aussucht, hat noch kein Naturwissenschaftler herausgefunden.

Weshalb du eine bestimmte Leidenschaft von Gott bekommen hast, ist auch nicht zu erklären. Wichtig ist: Sie hat ihren Ursprung im Willen Gottes.

Schauen wir Israel an. Gott hat sich dieses kleine Volk ausgesucht und hat ihm eine Bestimmung, eine Leidenschaft, einen Auftrag gegeben.

Er sagt: «Du bist ein kleines Land. Du hast einen unsichtbaren Gott, der dich leitet. Wenn du mir nachfolgst, wirst du reich und gesund sein. Deine Bestimmung ist, als kleines Volk den Völkern rundherum zu veranschaulichen, wie groß dein Gott im Himmel ist.»

Leider vergaß das Volk Israel seine Bestimmung und Aufgabe in Rekordzeit. Es verlor sogar Gott aus den Augen – und damit auch ein erfülltes Leben.

Und es ist damit nicht allein. Uns geht es heute genauso.

Weshalb verlieren wir immer wieder unsere himmlische Bestimmung aus den Augen?

Schon mal was von Stress im Alltag gehört? Er lässt uns den Himmel vergessen. Schade!

→ Der eine hat Lehrabschlussprüfung.
→ Der andere büffelt für das Examen.
→ Die dritte muss den Hamster der Nachbarin der Freundin der Mutter versorgen und säubern.

Viele Dinge im Leben absorbieren uns. Sie ziehen den Fokus auf sich wie Tom Cruise das Spotlight. Und plötzlich stehst du da und hast keinen blassen Schimmer mehr, was Gott eigentlich von dir wollte. Den ganzen Tag Playstation spielen, das war es nicht, oder?

Irgendwann setzt glücklicherweise die Dämmerung ein, denn Gott ruft: «Vergiss deine Bestimmung nicht! Vergiss deine Leidenschaft nicht!»

Und genau deshalb schreibe ich dieses Kapitel. Achtung: Jetzt geht's ans Eingemachte!

Ich garantiere dir, falls du weiterliest, steht deine Playstation in Gefahr, als Vollwaise zu enden. Hier meine explosive Frage:

Auf welchem Gebiet hat Gott dir eine Leidenschaft geschenkt? Wo sagt Gott: «Dazu habe ich dich kreiert»?

Die Frage nach der Leidenschaft.

Ich möchte dir ein paar Fragen stellen, damit du deiner Leidenschaft näherkommst:

Was macht dir am meisten Spaß?
Letzten Freitag habe ich realisiert, dass ich innerhalb von acht Tagen sechzehn unterschiedliche Predigten halten darf, Betonung auf darf. Ich stellte fest, dass mir deswegen nicht Schweißwasserfälle ausbrechen, sondern dass mich das vor Glück den Limbo tanzen lässt und mir Energie gibt. Ein Predigtmarathon macht mich nicht tot, sondern hot.

Leidenschaft gibt dir Energie!

Welcher Umstand macht dich wütend?
Als Nehemia, ein Haudegen aus dem Alten Testament, im Ausland hörte, dass die Mauern der Stadt Jerusalem schon 120 Jahre lang zerstört am Boden lagen, lief er rot an, schäumte und sagte: «Saperlottchen, das geht nicht! Jerusalem ist die Stadt meiner Väter, das Baby muss leben!» Er machte sich aus dem Ausland auf den Weg und stellte mit seiner Crew die Mauer in Rekordzeit auf, Blasen und Schwielen inklusive.

Worüber sprichst du am liebsten?

Wofür stehst du immer wieder ein?

Diese Fragen helfen dir, dein Gebiet zu eruieren.

Ich möchte dir die Leidenschaft zweier berühmter Menschen näherbringen. Was interessant ist: Sie wurden berühmt, weil sie ihrer Leidenschaft folgten. Sie waren bereit aufzustehen, deshalb sind sie weitherum bekannt. Sie kamen nicht auf die Welt, und 7000 Paparazzi standen gleich da und sagten: «Wow, was für ein Baby!»

DIE LEIDENSCHAFT ZEIGT DIR, WELCHES GEBIET DU EROBERN SOLLST. DEINE BEGABUNG ZEIGT DIR, WIE DU ES EROBERN KANNST.

Im Jahre 1963 steht Martin Luther King in Washington auf den Stufen des großen Lincoln Memorials und sagt einen kurzen Satz, der die Welt verändert hat:

«I have a dream!»

Er kämpfte leidenschaftlich und mutig wie ein Löwe für die Gleichheit von Schwarz und Weiß und ein friedliches Miteinander. Er stand seinen Löwen im Revier.

Billy Graham füllte in den 40er-Jahren und auch noch Jahrzehnte später alle Stadien in Amerika. Er versöhnte voll tiefster Leidenschaft Menschen mit Gott. Er stand seinen Löwen im Revier.

Die Unerschrockenheit dieser Männer hat mir selber Mut gemacht.

Im Mai 1996 habe ich mit einem Team ICF Zürich übernommen und leidenschaftlich eine in der Schweiz völlig neuartige Kirche auf die Beine gestellt. Ich stand und stehe meinen Löwen im Revier.

«Tue, was du kannst, mit dem, was du hast, genau da, wo du gerade bist.»
— Theodore Roosevelt

I HAVE A
DREAM

GÖTTLICHE LEIDENSCHAFT

Ich habe extra für dieses Buch ein paar Männer und Frauen aus unserer Kirche nach ihren Leidenschaften gefragt, um dir zu zeigen, wie cool es ist, wenn Menschen wie du und ich aufstehen und in ihrem Revier Lärm machen. Die folgenden Statements sollen Mut machen!

«Ich lebe dafür, dass Events in der Kirche attraktiv sind.»
Annina, 29 Jahre

«Ich lebe dafür, dass Gott im Zentrum der Familien steht.»
Lea, 29 Jahre

«Ich lebe dafür, dass Menschen durch Worship-Songs und ihren Inhalt Gott begegnen und verändert werden.»
Deborah, 28 Jahre

«Ich lebe dafür, dass Versöhnung zu deinem und meinem Lebensstil gehört.»
Dani, 45 Jahre

«Ich lebe dafür, dass Jesus und die lokale Kirche das Herz Italiens erobern.»
Danny, 37 Jahre

«Ich lebe dafür, dass die Popmusik durchdrungen wird von der Botschaft Gottes.»
Dave, 30 Jahre

«Ich lebe dafür, dass das Design unserer Kirche andere Grafiker inspiriert.»
Noëmi, 19 Jahre

«Ich lebe dafür, dass Männer ihre von Gott zugedachte Identität anpacken und darin aufblühen.»
Philipp, 28 Jahre

«Ich lebe für die, die keine Stimme haben, und möchte ihnen eine Stimme geben.»
Tabea, 37 Jahre

«Ich lebe dafür, dass Menschen durch meine Musik geheilt werden.»
Tina, 30 Jahre

«Ich lebe dafür, Orte zu kreieren, wo Frauen ihre Begabungen und Leidenschaften für Gott ausleben können.»
Susanna, 40 Jahre

«Ich lebe dafür, dass Menschen durch Videos berührt werden.»
Marco, 27 Jahre

«Ich lebe dafür, dass die Kids in unserer Church wieder Spaß und Action erleben dürfen.»
Joel, 25 Jahre

«Ich lebe dafür, dass Design und Kunst in der Kirche wieder relevant werden.»
John, 34 Jahre

Ist das nicht der Kracher?! So viele Menschen mit so unterschiedlichen Leidenschaften made in Heaven. Das kriegt mein Hirn fast nicht gebacken, das ist umwerfend! Wenn wir uns alle in unserer Berufung austoben, ist das Reich Gottes nicht mehr zu stoppen. Und schon gar nicht zu toppen!

JEDER SOLL DEM ANDEREN MIT DER BEGABUNG DIENEN, DIE IHM GOTT GEGEBEN HAT. WENN IHR DIE VIELEN GABEN GOTTES IN DIESER WEISE GEBRAUCHT, SETZT IHR SIE RICHTIG EIN.

1. PETRUS 4,10 (HFA)

STEH AUF

«Vor dem Können kommt das Wollen, denn man muss auch können wollen.»
— Ardeschyr Hagmaier

Nach all diesen positiven Beispielen möchte ich der ganzen Sache noch mehr auf den Löwenzahn fühlen. Noch fehlt dem Reich Gottes nämlich die Durchschlagskraft in der ganzen Fülle. Deshalb erlaube mir an dieser Stelle die Frage:

Welches sind die Gründe dafür, dass Menschen nicht aufstehen und ihr Revier einnehmen?

«Es ist nicht genug, gigantische Projekte zu Papier zu bringen. Ich muss meine Idee auf die Erde schreiben.»
— Émile Péreire

Beim Nachdenken über der oben genannten Frage sind mir ein paar Personengruppen in den Sinn gekommen, die den Mut noch nicht aufbringen.

DER ÄNGSTLICHE

«Der Gottlose flieht, auch wenn niemand ihn jagt; der Gerechte ist furchtlos wie ein junger Löwe.» *— Sprüche 28,1(LB)*

Es gibt Menschen, die eine glasklare Vision, eine Leidenschaft und einen Traum haben, aber Angst blockiert sie. «Was, wenn ich versage? Was, wenn's nicht funktioniert?»

Der Tipp eines Ex-Angsthasen:

Ersetze das «Ich-kann-nicht»-Gefühl durch das «Ich-kann-mit-Gottes-Hilfe»-Gefühl.

«Die Liebe kennt keine Angst. Wahre Liebe vertreibt die Angst.» *— 1. Johannes 4,18 (GNB)*

Das folgende ärztliche Mini-Referat hat mir sehr geholfen, nicht ängstlich zu sein und den Mut triumphieren zu lassen.

«Sie können von Schonkost leben, um ein Magengeschwür zu vermeiden, im Namen der Gesundheit keinen Tee, Kaffee oder Ähnliches trinken, früh ins Bett gehen, das Nachtleben meiden, alle kontroversen Themen umgehen, um keinen Anstoß zu erregen, sich um Ihre eigenen Angelegenheiten kümmern, sich aus den Problemen anderer Leute raushalten, Geld nur für wirklich Notwendiges ausgeben und so viel wie möglich sparen. Trotzdem können Sie sich in der Badewanne das Genick brechen – und das geschähe Ihnen recht!»

(Zitiert nach Bill und Kathy Peel: «Discover your Destiny», NavPress, 1996, Seite 25.)

Angst ist das Gegenteil von Liebe. Und ich will lieben, weil Jesus liebt. Deshalb bin ich mutig.

«Der Gottlose flieht, auch wenn niemand ihn jagt; der Gerechte aber ist furchtlos wie ein junger Löwe.» *— Sprüche 28,1 (LB)*

ERSETZE DAS „ICH-KANN-NICHT“-GEFÜHL MIT DEM „ICH-KANN-MIT-GOTTES-HILFE“-GEFÜHL

DER RUHIGGESTELLTE

Ruhiggestellte Menschen haben den Bettel hingeworfen. Ich höre sie sagen:

> «Die Welt geht den Bach runter. Ich hoffe, die Entrückung kommt bald, damit ich hier wegkomme.»
>
> «Sklavenhandel und Menschenhandel sind tragisch, aber das ist ein Problem in weit entfernten Ländern, nicht wahr?»
>
> «Wie traurig, dass all die Menschen bei Erdbeben in Haiti, Chile und Japan gestorben sind! Ich bin froh, dass Bono Hilfsgüter sammelt.»
>
> «Gott weiß, dass ich auch nur ein Mensch bin und sexuelle Bedürfnisse habe, die von meinem Partner nicht erfüllt werden. Ich weiß, ich sollte das, was ich tue, nicht tun, aber mir ist zum Glück vergeben.»
>
> «Das ist nicht die Regierung, die ich gewählt habe. Ich werde mit Beten aufhören.»

Mein Herz blutet, weil ich viel zu oft genau solche Sätze höre. Voller Leidenschaft rufe ich deshalb: Wir gehören nicht uns selbst! Gott hat uns ein Revier gegeben, und wir dürfen nichts einfach so hinnehmen und runterschlucken.

Der Olympionike Bob Richards sagte in einem Interview: «Es gibt viele Menschen, die Olympiasieger sein könnten; Sportler, die es vielleicht nur nie versucht haben. Ich schätze, dass auch mich fünf Millionen Menschen im Hochsprung hätten schlagen können – Männer, die stärker, größer und schneller waren als ich. Aber sie haben nie einen Stab in die Hände genommen, nie den Versuch unternommen, ihre Beine vom Boden zu heben, um über die Latte zu kommen. Größe ist überall um uns herum.»

(Ardeschyr Hagmaier: «Ente oder Adler», GABAL-Verlag, 2006, Seite 95.)

GOTT BRAUCHT NICHT DIE BESTEN, SONDERN DIE, DIE SICH AM BESTEN VON IHM GEBRAUCHEN LASSEN.

DER GEZÄHMTE

Das Wort *Christ* bedeutet «Gesalbter» oder «Christusähnlicher». Jesus ging nicht herum und «war gut». Er ging herum und «tat Gutes». Er setzte als Ungezähmter alle frei, die unterdrückt waren.

Wozu hat er dich und mich gesalbt?

«Denn der Geist Gottes, den ihr empfangen habt, führt euch nicht in eine neue Sklaverei, in der ihr wieder Angst haben müsstet. Er macht euch vielmehr zu Gottes Kindern.» — *Römer 8,15 (Hfa)*

Vielleicht bist du in einer Situation, in der du dich durch die Umstände selbst gezähmt hast. Du sagst:

→ «Ich würde meine Talente gerne ausleben, aber ich habe einen Chef, der jede Initiative ausbremst.»

→ «Ich würde mir einen anderen Job suchen, aber ich brauche das Geld für mein Studium.»

→ «Ich würde mir mehr Intimität in meiner Ehe zutrauen, aber mein Partner ist ein Sexmuffel mit weißen Socken.»

→ «Ich würde mich stärker meinem geistlichen Wachstum widmen, ich habe jedoch leider keine Zeit. Oh, ich muss weg … hab mit Ralph zum Fifa-Gamen abgemacht!»

→ «Ich hätte schon längst mehr von meinem Potenzial erreicht, aber ich hatte nie jemanden, der mich gefördert hat.»

Das «Wenn-dann-Spiel» verkauft sich auf der ganzen Welt ausgezeichnet. Sehr lukrativ. Doch du selbst bist deine Zukunft.

Du allein entscheidest, was aus deinem Leben werden wird.

Warte nicht dein ganzes Leben lang auf das «Wenn». Das «Wenn» ist wie der Yeti. Es gibt ihn nicht. Er wird nie kommen.

Einer der größten Schuhhersteller der Welt schickte zwei Marktforscher in ein unterentwickeltes Land, die unabhängig voneinander herausfinden sollten, ob es sich lohnen würde, in diesem Land Geschäfte zu machen.

Der Erste schickte ein Telegramm zurück: «Kein Markt – niemand trägt hier Schuhe.»

Der Zweite telegrafierte: «Unendliche Möglichkeiten – niemand besitzt Schuhe.»

(Steve May: «The Story File», Hendrickson Publishers, 2000, Seite 2–3.)

DER EINGESPERRTE

> *«Vertraue Gott in jeder Situation! Tu, was du kannst, und Gott wird tun, was du nicht kannst.»*

Es gibt Phasen, in denen wir unsere Leidenschaft und unseren Traum nicht leben können, weil Gott es nicht zulässt.

Als ich sechzehn war, beendete ich meine Schule. Ich hatte null Bock auf eine Berufslehre. Ich wollte mit sechzehn Lenzen und Hühnerbrust gleich eine Kirche gründen und predigen. Ich war bereit, nebenberuflich eine theologische Ausbildung zu machen. Zu meiner Mutter sagte ich: «Wozu eine Berufslehre, wenn ich diese Ausbildung danach nie brauche? Mutter, in der Bibel heißt es, dass Jeremia in seinen jungen Jahren berufen wurde, ein Prophet zu sein. Jeremia sagte zu Gott: ‹Gott, ich bin noch viel zu jung!› Ich verstehe ihn nicht. Mom, ich hab heute zu Gott gesagt: ‹Ich bin nicht zu jung, hier bin ich!›»

Meine Mutter schüttelte liebevoll den Kopf: «Mein Junge, im Leben gibt es eine Sache, die du unterschätzt, und das ist der Charakter. Der gehört in die Schule. In der Berufslehre erlebst du vier Jahre lang Charakterschleife mit dem gröbsten Schleifpapier, das die Welt jemals gesehen hat. Wenn du am Morgen zur Arbeit gehst und dann noch immer positiv bist und gut gelaunt pfeifend aus dem Haus gehst, und das jeden Tag, dann kann Gott auf dich bauen, was immer er bauen will.»

Ich bin froh, dass sich meine Mutter durchgesetzt hat, denn kein Weg führt an der Charakterschule vorbei. Danke, liebe Mutter, dass du mich das gelehrt hast.

Ich bete, dass Gott dir, wenn dir im Moment die Hände gebunden sind, zum richtigen Zeitpunkt eine Türe in deinem Leben aufmachen wird, damit du deinen Traum und deine Leidenschaft ausleben kannst.

Vor langer Zeit, als die Medizin noch längst nicht so weit war wie heute, lebte ein gelähmter kleiner Junge. Die Ärzte sagten, sie könnten ihm nicht helfen. So nahm seine Mutter eine Apfelsinenkiste und polsterte sie. Sie setzte ihren Knirps in die Kiste, befestigte ein Seil daran, band sich das Seil um den Leib und zog ihn überall hinter sich her, damit sie ihn immer im Auge behalten konnte.

Nach einiger Zeit entwickelte der Junge eine Angewohnheit, die seiner Mutter nicht gefiel. Er begann, mit seiner Kiste zu schaukeln. Sie bat ihn inständig, es zu lassen, aber er hörte nicht auf. Manchmal schaukelte er so heftig, dass die Kiste umkippte und er herausfiel. Egal, wie oft sie ihn wieder zurücksetzte, er schaukelte weiter. Er wurde zum wahren Schaukelweltmeister. Schließlich wurde es seiner Mom zu bunt und sie setzte ihn nicht mehr in die Kiste zurück. Daraufhin lernte er zum allgemeinen Erstaunen laufen und führte letzten Endes ein großartiges Leben.

Dieser kleine Junge machte etwas, das die Ärzte und sogar seine liebende Mutter nicht für möglich hielten: Er gab sich nicht mit seinem Leben in der Kiste zufrieden.

Wurdest du von jemandem oder von etwas «in eine Kiste gesetzt», aus der du herauskommen willst? Wenn das so ist, dann schaukle dich frei.

Die Welt und die Menschen in ihr sind Experten darin, uns zu sagen, was wir tun können und was nicht. Damit ist jetzt Schluss. Der Mut des Löwen steckt in dir!

NIMM DEINEN PLATZ EIN

«Israel steht auf wie ein Löwe, es erhebt sich wie eine Löwin.»
— 4. Mose 23,24 (Hfa)

Wenn ein Löwe aufsteht und seinen Platz einnimmt, majestätisch, überzeugt, mit Mut, dann wird die Umgebung nervös.

Wenn du dich erhebst für deinen Jesus, wird die dunkle Seite der unsichtbaren Welt nervös! Der Teufel weiß, dass du jetzt gefährlich bist, weil du das Reich Gottes vorwärtstreibst und Land einnimmst.

DEINE GEDULD WIRD ZUR BELOHNUNG

«Ein junger Löwe verteidigt knurrend seine Beute. Er lässt sich nicht einschüchtern vom Geschrei der vielen Hirten, die ihm das Schaf wieder entreißen wollen. Genauso furchtlos werde ich, der allmächtige Gott, auf den Berg Zion herabkommen und die Stadt Jerusalem verteidigen.» *— Jesaja 31,4 (Hfa)*

Es kann sein, dass du schon seit Jahren für eine Sache kämpfst und seit Jahren nicht siehst, wie Gott deiner Vision zum Durchbruch verhilft.

Lass dich von Kaleb im Alten Testament ermutigen. Als Kaleb ein junger Mann war, waren er und Josua Teil eines SWAT-Spionage-Teams, um die Stärke des Feindes herauszufinden, bevor das Volk Gottes in das Land, das er ihnen versprochen hatte, einziehen konnte.

Von den zwölf Spionen legten nur Kaleb und Josua einen positiven Bericht vor. Sie sagten: «Wir sind in der Lage, das Land zu erobern. Wir haben Gott im Rücken, der kann entzücken!»

Die anderen zehn Spione schworen: «No way, holy Moly, da gibt es Männer im Land, die sind so groß wie Dinos! Die Hindernisse, die zu überwinden sind, sind zu groß.» Die zehn Weicheier waren bereit, sich auf das Zweitbeste einzulassen. Sie wollten für den Rest des Lebens dort bleiben, wo sie waren.

Unglücklicherweise steckten sie das ganze Volk mit «Gottmisstrauitis» an.

Sie verbrachten die nächsten vierzig Jahre damit, in der Wüste biathlonmäßig Runden zu drehen und ziellos herumzuwandern. Das erinnert mich an meine Zeit bei der Armee.

Schlussendlich starb die ganze Generation aus. Nur Kaleb und Josua trugen den Traum vom verheißenen Land rüber in die nächste Generation.

Zu diesem Zeitpunkt war Kaleb 85 Jahre alt. Sein Körper war alt, sein Traum vom Land aber war nach wie vor jung und lebendig.

Viele Menschen in seinem Alter würden in einem Schaukelstuhl Pfeife rauchend über die modernen Zeiten schimpfen. Aber nicht Kaleb, the Rocket! Er blieb dran und hielt sich mit Liegestützen und Rumpfbeugen in Form. Er sagte zu Josua, dass er immer noch so stark sei wie damals, als er die Verheißung für das Land erhielt, und er demonstrierte seine Kraft eindrücklich damit, dass er die Jungspunde im Armdrücken einen nach dem anderen mit einer Niederlage nach Hause schickte. Kaleb hatte Oberarme wie Baumstämme. Massive Baumstämme.

Kaleb schlich sich vierzig Jahre später zurück zu demselben Ort, dem Berg, vor dem die anderen Angst hatten, ihn zu erklimmen und zu erobern. Er sprach entschlossen: «Gott, gib mir diesen Berg! Ich will hier wohnen und mit meiner Frau Liebe machen. Nur hier. Ich habe immer noch diesen Traum in meinem Herzen.»

Es ist interessant, dass Kaleb nicht nach einem einfachen Erbe fragte. In der Tat lebten fünf Riesen auf dem Berg, den er forderte.

Natürlich hätte er einen anderen Ort finden können, der weniger

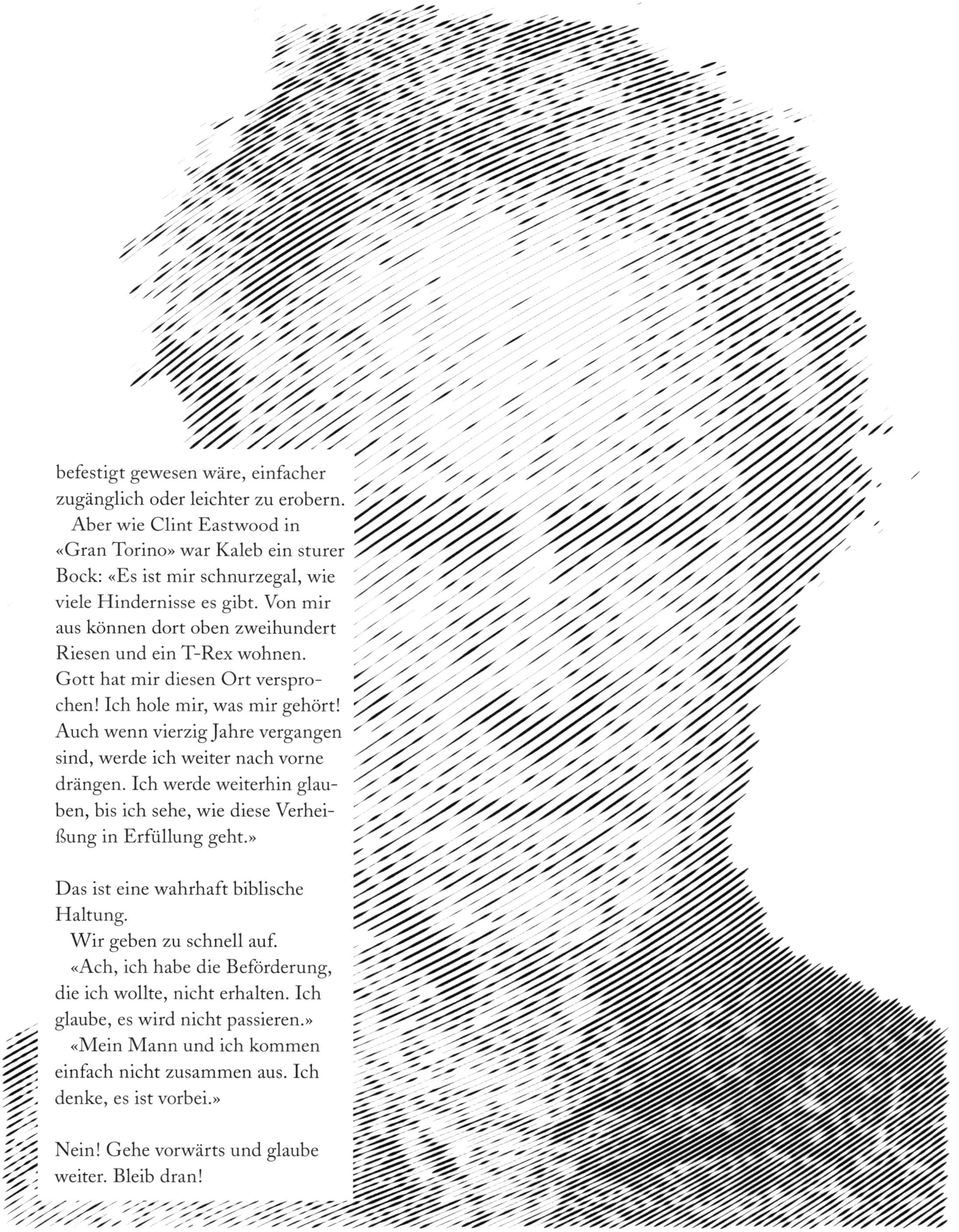

befestigt gewesen wäre, einfacher zugänglich oder leichter zu erobern.

Aber wie Clint Eastwood in «Gran Torino» war Kaleb ein sturer Bock: «Es ist mir schnurzegal, wie viele Hindernisse es gibt. Von mir aus können dort oben zweihundert Riesen und ein T-Rex wohnen. Gott hat mir diesen Ort versprochen! Ich hole mir, was mir gehört! Auch wenn vierzig Jahre vergangen sind, werde ich weiter nach vorne drängen. Ich werde weiterhin glauben, bis ich sehe, wie diese Verheißung in Erfüllung geht.»

Das ist eine wahrhaft biblische Haltung.

Wir geben zu schnell auf.

«Ach, ich habe die Beförderung, die ich wollte, nicht erhalten. Ich glaube, es wird nicht passieren.»

«Mein Mann und ich kommen einfach nicht zusammen aus. Ich denke, es ist vorbei.»

Nein! Gehe vorwärts und glaube weiter. Bleib dran!

DEINE SCHWÄCHE WIRD ZUM SIEG

Als Billy Graham, der bekannte Evangelist, mit achtzig Jahren an Parkinson erkrankt und am ganzen Körper zu zittern anfängt, kann er nicht mehr in den großen Stadien predigen.

Billy nutzt die Zeit, um seine Lebensgeschichte aufzuschreiben.

Ein junger Mann ringt gleichzeitig mit seiner Lebensaufgabe. Er will eine Kirche gründen, fühlt sich aber zu wenig fähig für diese Aufgabe. Billy Grahams Autobiografie kommt ihm in die Hände, und er liest sie in einem Zug und saugt den Inhalt wie ein Schwamm auf.

Stark ermutigt und ausgerüstet, startet er eine Kirche. Heute leitet er eine der größten Gemeinden in ganz Amerika.

Aus seiner Schwäche heraus hat Billy Graham ein Buch geschrieben, das zur Stärke für diesen jungen Pastor wurde. So arbeitet Gott!

Als Paulus ins Gefängnis geworfen wurde und schlagartig jede Predigtmöglichkeit verlor, schrieb er seine Briefe. Sie machen die Hälfte des Neuen Testaments aus und sorgten dafür, dass Milliarden von Menschen bis zum heutigen Tag zum Glauben an Jesus Christus fanden und finden.

Sag nie, dass du zu schwach bist oder die Situation nicht geeignet ist, für Gott Großes zu bewegen. Denn in jeder Situation, die dich heute erwartet, ist Jesus schon drin.

DEINE ENTTÄUSCHUNG WIRD ZUM WUNDER

«Glücklich sind die, deren Träume von ihrer Hoffnung genährt werden, nicht von ihren Verletzungen.»
— Robert Schuller

«[David] starb, nachdem er den Menschen seiner Zeit nach Gottes Willen gedient hatte.»
— Apostelgeschichte 13,36 (Hfa)

Das Leben enttäuscht uns immer wieder.

Menschen enttäuschen dich.

Die Kirche enttäuscht dich.

Viele sind von Gott enttäuscht.

Enttäuschungen können unser Leben enorm prägen. Lass mich dazu eine wahre Geschichte erzählen.

Chris, vierzig Jahre alt, muss sein Herz operieren lassen. Er benötigt einen Bypass. Sein Arzt, Martin, hat schon tausend Bypässe eingesetzt; für ihn ist es eine Routineoperation. Das Herz wird stillgelegt. Der Bypass eingesetzt. Das Herz hängt an der Maschine.

Alles ist gemacht, alles geflickt. Dann kommt der Moment, in dem die Maschine abgestellt wird und das Blut das Herz wieder zum Pumpen bringen sollte.

Aber das Herz will nicht.

Chris werden alle Medikamente verabreicht, die es braucht, damit das Herz wieder zu schlagen beginnt. Sie verfehlen aber ihre Wirkung.

Martin wird zurück an den Operationstisch gerufen. Er beginnt das Herz zu massieren. Erfolglos.

Die umstehenden Ärzte sagen: «Wir bringen diesen Mann nicht mehr ins Leben zurück!» Einer nach dem andern verlässt den Operationssaal.

Chefarzt Martin bleibt als Einziger zurück. Er geht zu Chris hin, neigt sich zu seinem Ohr und flüstert: «Hier ist der Chefarzt, ich habe alles getan, was ich für dich tun konnte. Wir haben dir Medikamente gegeben. Ich habe dein Herz massiert. Es gibt nichts mehr, das ich für dich tun könnte.» Nach einer Pause fügt Martin hinzu: «Sag deinem Herzen, es soll wieder schlagen. Das kannst nur du tun. Befiehl deinem Herzen, dass es wieder schlagen soll!»

Martin läuft langsam von Chris weg. Als er die Tür des Operationssaals hinter sich schließen will, hört er ein Geräusch: Dedum … dedum … dedum … dedum … dedum … dedum … dedum … Das Herz von Chris schlägt. Martin laufen die Tränen über die Wangen.

Ich kann deinem enttäuschten Herzen nicht sagen, es soll wieder schlagen. Du alleine kannst das. Du musst es deinem Herzen befehlen. Ich bitte dich aus tiefstem Herzen darum. Tu es! Jetzt.

SAG DEINEM HERZ, ES SOLL WIEDER SCHLAGEN!
AORTA

Wenn ich noch einmal leben könnte,

würde ich versuchen, beim nächsten Mal mehr Fehler zuzulassen. Ich würde entspannen. Ich wäre alberner, als ich es dieses Mal war. Ich würde nur sehr wenige Dinge ernst nehmen. Ich wäre verrückter. Ich wäre weniger hygienefanatisch. Ich würde mehr Chancen wahrnehmen. Ich würde mehr reisen. Ich würde mehr Berge besteigen, mehr Flüsse durchschwimmen, mehr Sonnenuntergänge betrachten. Ich würde mehr zu Fuß gehen. Ich würde mehr Eis und weniger Bohnen essen. Ich hätte mehr tatsächliche Schwierigkeiten und weniger eingebildete. Sehen Sie, ich gehöre zu den Leuten, die vorbeugend und vernünftig und gesund leben, Stunde für Stunde, Tag für Tag. Oh, ich hatte meine Momente, und wenn ich noch mal von vorn anfangen könnte, dann hätte ich mehr davon. Ja, ich würde versuchen, gar nichts anderes zu haben. Nur Momente, einen nach dem anderen, statt jeden Tag so viele Jahre im Voraus zu leben.

Ich bin einer von denen, die ohne Thermometer, Wärmflasche, Gurgelwasser, Regenmantel und Fallschirm nirgends hingehen. Wenn ich es noch einmal machen könnte, würde ich mir die Welt ansehen und Dinge unternehmen und mit weniger Gepäck reisen als dieses Mal.

Wenn ich mein Leben noch einmal leben könnte, würde ich früher im Frühling anfangen, barfuß zu gehen, und später im Herbst damit aufhören. Ich würde öfter die Schule schwänzen. Ich würde nicht so gute Zensuren bekommen, höchstens zufällig. Ich würde öfter Karussell fahren. Ich würde mehr Gänseblümchen pflücken.»

Steve May: «The Story File», Hendrickson Publishers, 2000, Seite 150–151.

KAPITEL 4

DIE ERGÄNZUNG SCHÄTZEN

Ein Löwe kann noch so mutig sein, wenn ihm keine anderen Löwen zur Seite stehen, ist er nicht in der Lage, sein Revier zu beschützen und zu vergrößern.

Der Löwe unterscheidet sich von allen anderen Raubkatzen dadurch, dass er nicht als lonesome Cowboy, sondern gesellig in Rudeln lebt. Diese setzen sich gewöhnlich aus zwei bis drei männlichen, fünf bis zehn weiblichen Tieren und deren Jungen zusammen, können aber im Extremfall bis vierzig Tiere umfassen.

Der «harte Kern» des Löwenrudels sind die ausgewachsenen Löwinnen. Sie sind eng miteinander verwandt, denn sie leben von Geburt an in ihrem Rudel und bleiben ihm in der Regel auch bis zu ihrem Tod treu. Diese Großmütter, Tanten, Schwestern, Töchter und Nichten halten ein festes, zumeist seit vielen Generationen unverändertes Revier besetzt.

Wenn du dich mit Leidenschaft erhebst und diese Welt auf den Kopf stellen willst, muss dir etwas bewusst sein: Du brauchst dringend Frauen und Männer, die dich ergänzen und den Traum mit dir träumen. Du kannst keine große Firma alleine aus dem Boden stampfen, du kannst auch keine Familie alleine gründen, außer du bist ein Wurm. Der teilt sich selber.

Ein Löwe ist äußerst sozialkompetent. Verantwortungsbewusst kümmert er sich um sein Rudel, ganz im Gegensatz zu den zwei Freunden Peter und John, die einen Safari-Urlaub bei TUI buchten.

Vor Ort beschlossen sie, das Terrain mit einem Jeep auf eigene Faust zu erforschen. Doch, oh Schreck, in freier Wildbahn sprang der Motor nach einer Pause nicht mehr an. Auf Hilfe zu warten schien ihnen aussichtslos, also buckelten sie Zelt und Rucksack und marschierten zurück Richtung Base.

Als sie sich abends im Zelt bettfertig machten und den Lion-King-Pyjama überstreiften, überraschte sie ein offensichtlich hungriger Löwe, der begierig um das Zelt schlich.

Peter erstarrte förmlich vor Schreck und wunderte sich über John, der seine Turnschuhe montierte: «Sag mal, Johnny, hast du nichts Besseres zu tun? Der Löwe wird dich trotz deiner neuen Nikes fressen!»

John erwiderte: «Das glaube ich nicht. Ich bin mit den Turnschuhen zwar nicht schneller als der Löwe, aber das muss ich auch gar nicht, denn in jedem Fall bin ich schneller als du.»

So viel zum Thema wahre Freundschaft. Ein Löwe würde niemals sein Rudel im Stich lassen. Einmal Rudel, immer Rudel!

«Einander zu dienen ist der beste Weg, um Spannungen abzubauen.» *— Bill Hybels*

Warum hält man Löwinnen für die Meisterinnen der Jagdkunst?

Das Geheimnis liegt im Wort ZUSAMMEN.

Sie jagen ohne Konkurrenzdenken und ohne aus der Reihe zu tanzen. Der Beitrag des einen Löwen ist nicht wichtiger als der Beitrag des anderen Löwen. Es wird weder gemobbt noch gemotzt, noch verglichen, noch kopiert.

«Was ist deine Mutter? Eine Löwin unter Löwen! Sie lagerte bei den jungen Löwen und zog ihre Jungen auf. Eins von ihren Jungen zog sie groß und es wuchs zu einem starken jungen Löwen heran.» *— Hesekiel 19,2–3 (NLB)*

In Hesekiel wird beschrieben, wie die Mutter den kleinen Knirps heranzieht und dieser zu einem starken Löwen heranwächst. Doch auch wenn der Dreikäsehoch hochmotiviert jeden Morgen hundert Liegestütze aufs Parkett legt, ohne Rudel wird er nicht besonders viele Tiere erlegen können, denn er ist weder schnell genug, noch hat er genügend Ausdauer.

Ohne Rudel sähe er mit heraushängender Zunge von jedem Mittagessen nur den wackelnden Hintern. Jedes Zebra sprintet einem Löwen locker vor der Rübe durch und streckt die Zunge raus. Aber Gnade dem Zebra, wenn der Löwe seine Kumpels zusammentrommelt, au Backe!

BET
TER
TOG
ETH
ER!!

DREAM TEAM/

DIE STÄRKE DES LÖWEN LIEGT IMMER IM RUDEL, IM KOLLEKTIV. DESHALB FORME EIN DREAM-TEAM.

Jeder Löwe bringt seine individuelle Stärke ins Rudel. Was wir bei ihnen beobachten, können wir 1 : 1 für unser Team und unsere Familie übernehmen.

Löwen lehren uns drei Dinge.

1. LÖWEN VERGLEICHEN SICH NICHT MITEINANDER

In der Welt der Löwen gibt es keine Verwirrung bezüglich der Geschlechter. Löwen versuchen nicht, Löwinnen zu sein, und Löwinnen versuchen nicht, sich wie Löwen zu benehmen. Kein Geschlecht ahmt die Rolle des anderen nach. Beide fühlen sich löwenwohl in ihrer Haut und freuen sich an den einzigartigen Stärken ihres Geschlechts. Deshalb gibt es auch keine psychiatrische Praxis in der Savanne.

Löwen sind die einzigen Mitglieder der Katzenfamilie mit einem auffallenden und sofort sichtbaren Unterschied zwischen den Geschlechtern.

Löwenmännchen sind bekennende Seventies-Fans. Deshalb haben sie eine lange Mähne, die ihren Hals und ihr Gesicht umrahmt. Diese Mähne betont die eindeutige und besondere Rolle, die das Männchen im Rudel spielt. Sie lässt ihn in der afrikanischen Ebene bedrohlich aussehen.

Die Löwin hat keine Mähne, wodurch ihre Körperfarbe nahtlos mit ihrer Umgebung verschmilzt. Ohne das zusätzliche Volumen kann sie sich praktisch ungesehen an ihre Beute heranschleichen. Ohne das zusätzliche Gewicht einer Mähne ist sie in der Lage, den Speed des Opfers mitzuhalten und das gerissene Tier auch über weitere Entfernung zu tragen.

Gesunde Löwinnen und Löwen wissen, dass sie einander brauchen. Sie würden nicht im Traum daran denken, sich ohne den anderen durchs Leben zu schlagen. In ihrer Welt ist die eine Stärke nicht weniger wichtig als die andere.

«Niemand soll sich über andere erheben und höher von sich

denken, als es angemessen ist. Bleibt bescheiden und sucht das rechte Maß!» *— Römer 12,3 (GNB)*

Vergleichen ist eine Erfindung des Teufels. Diese üble Geschichte nahm ihren Lauf, als er es schon im Paradies schaffte, Eva auf das zu fokussieren, was sie nicht hatte.

VERGLEICHEN BRINGT NIX.
×
WENIGER ALS NIX.
GAR NIX.
×
VERGLEICHEN HAT NULL POSITIVE KOMPONENTE.
×
ZERO.

Vergleichen macht dich höchstens traurig, negativ und unbedeutend.

Katastrophe!

Vor ein paar Jahren überfiel ich Hawaii zwecks Visite einer Kirche. Hawaii ist eine schöne Insel. Eine wunderschöne Insel sogar.

Am Sonntag besuchte ich den Gottesdienst der Kirche. Der Pfarrer betrat die Bühne. Ein richtiges Mannsbild. Super aussehend, braun gebrannt, muskulös. Die Frauen wollten schon kreischen, erinnerten sich aber im letzten Moment daran, dass sie nicht auf einem Take-That-Konzert waren, sondern in einer Kirche, wo es um Gott und Jesus ging. Aber der Pfarrer war definitiv der bestaussehendste Pfarrer, den ich je gesehen hatte.

Das alleine ging mir schon gewaltig auf den Keks.

Dann machte er seine wohlgeformten Lippen auf und fing an zu predigen. Er war gut. Eine Sensation. Ein Orgelkonzert. Er zog alle Register. Eine glatte 10 sowohl rhetorisch als auch inhaltlich. Die Männer klebten an seinen Lippen, die Frauen lagen ihm zu Füßen. Hätte er lange Haare gehabt, hätte ich mich als Teil der Bergpredigt gefühlt.

Ich verkroch mich in meinen Sitz und wurde sauer wie Buttermilch.

Am Schluss seiner Predigt rief er diejenigen auf, von ihren Sitzen aufzustehen, die ihr Leben Jesus anvertrauen möchten.

In leiser Vorahnung, was jetzt folgen würde, schloss ich meine Augen. Ich wollte das nicht mitansehen. Ich blinzelte nur ein wenig.

Ich war der Einzige, der noch saß. Ah nein, ganz links saß noch eine Frau. Sie war 107 Jahre alt. Sie konnte nicht mehr stehen. Sie wäre aufgestanden, hätte sie gekonnt. Alle heulten, lagen sich weinend in den Armen.

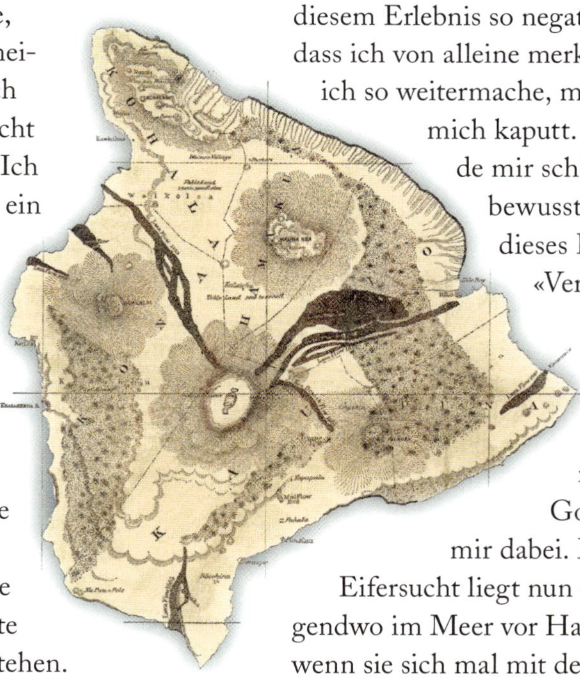

Ich stand auch auf. Um zu gehen. Ich hielt es nicht mehr aus. Ich kochte vor Eifersucht. Auf halbem Weg nach draußen hörte ich Wonderboy hauchen: «Bevor ich bete, würde ich noch gerne ein Lied singen.»

Am liebsten hätte ich ihm das Gesangbuch in den Rachen gestopft, aber das hätte bei der entzückten Menge auch mein Ende bedeutet. Deshalb ließ ich auch diese Demütigung über mich ergehen. Und du ahnst es. Er sang wie ein Engel. Perfekt. Jeder hatte Gänsehaut. Ich sah ihn an und dachte: «Hawaii ist eine Drecksinsel! Nie würde ich hier wohnen wollen!»

Ich brauchte eine Weile, um das Ereignis zu verarbeiten. Aber dieser Morgen war einer der lehrreichsten und heilsamsten meines ganzen Lebens. Ich war nach diesem Erlebnis so negativ drauf, dass ich von alleine merkte: Wenn ich so weitermache, mache ich mich kaputt. Es wurde mir schlagartig bewusst, dass ich dieses Laster «Vergleichen» in jenem Moment begraben musste. Gott half mir dabei. Meine Eifersucht liegt nun dort irgendwo im Meer vor Hawaii. Und wenn sie sich mal mit der Strömung zu mir auf den Weg macht, schicke ich sie mit dem nächsten Frachter wieder zurück. Aloha!

2. LÖWEN EHREN DIE UNTERSCHIEDE: SIE BEWUNDERN DIE STÄRKEN DES ANDERN

Die Unterschiede zu schätzen und zu ehren, das gehört zu den Stärken der Löwen.

Der Löwe beschützt.

Die Löwin versorgt.

Dieses Gleichgewicht ist ausschlaggebend dafür, dass gesunde, kräftige Alphalöwen niemals versuchen würden, eine One-Man-Show durchzuziehen und ohne die Hilfe von starken Löwinnen zu leben. Die Löwen sind die einzigen Mitglieder der Katzenfamilie, die in Gemeinschaft leben. Wo eine Löwin schwach ist, hat eine andere ihre Stärke. Wo eine vielleicht scheitert, hat eine andere Erfolg. Und all diese Stärken werden im Schutz des gegenseitigen Miteinanders ausgelebt.

***«Denkt an den menschlichen Leib: Er bildet ein lebendiges Ganzes und hat doch viele Teile, und jeder Teil hat seine besondere Funktion.»** — Römer 12,4 (GNB)*

Oft fehlt uns Menschen der Wille, die Kraft und die Schönheit unserer Mitmenschen zu sehen. Der Grund ist simpel: Es ist einfacher, andere zu kritisieren, als sie zu ehren.

Ein Paar zog in eine neue Nachbarschaft. Eines Morgens schaute die Frau während des Frühstücks aus dem Fenster. Sie sah, wie die Nachbarin die Wäsche zum Trocknen an die Leine hängte. Sie bemerkte, dass die Wäsche schmutzig und schmuddelig war, und meinte zu ihrem Mann: «Diese Nachbarsfrau hat keine Ahnung vom Wäschewaschen!»

Tag für Tag wiederholte sich das Schauspiel, und jedes Mal regte sich die Frau auf: «Ich fass es nicht. Sie ist so schlecht!»

Ein paar Wochen später schaute die Frau aus dem Fenster, und die Kleider der Nachbarin erstrahlten in blütenweißestem Weiß. Überrascht rief sie ihren Mann herbei: «Schau, Amore. Sie hat endlich gelernt, wie man wäscht. Ich glaube, sie hat im Keller Waschmittel entdeckt.»

Der Mann lächelte: «Schatz, ich bin heute früh aufgestanden und habe unsere Fenster geputzt.»

Wie schmutzig die Kleider deines Nachbarn scheinen, kommt darauf an, wie sauber dein Fenster ist. Die Bibel sagt dazu: «Den Reinen ist alles rein» (Titus 1,15 – LB).

(Joel Osteen: «Every Day a Friday», Nashville: Faith Words, 2011, Seite 170.)

Manchmal müssen wir in unserem Leben wieder mal Meister Proper reanimieren und die Fenster schrubben, dann verschwindet der kleine giftige Kritikgeist automatisch, und wir können unsere Energie wieder dafür verwenden, die Unterschiede zu schätzen und andere zu ehren.

Wir planten als Familie eine Wanderung. Wir erhoben uns gerade vom Frühstückstisch, als einer unser Söhne mit dem Taktgefühl von King Kong völlig entgeistert ausrief: «Mami, was soll diese bescheuerte Blume in deinem Haar? Wir gehen wandern! Du gehst nicht mit Papa in die Ü-40-Disco.»

Jetzt erst fiel mir auf, dass meine Frau sich hübsch gemacht und die Lotusblüte ins Haar gesteckt hatte. Mein Sohn hatte mir den Eimer gereicht, um meine Fenster wieder mal zu putzen. Begeistert strahlte ich meine Braut an: «Wohooo, so eine sexy Lady geht wandern!» Mein Sohn hat keine Ahnung von Mode.

Oft schauen wir einander an.

Wir sehen uns – und sehen uns doch nicht. Deshalb: Putz deine Scheiben, und sieh die Schönheit deines Mannes, deiner Frau, die Talente deiner Kinder, die Weitsicht deines Chefs – kurz: die Schönheit von allem, was Gott gegeben hat.

Fange wieder an zu bewundern und zu ehren!

3. LÖWEN HABEN KEIN BEDÜRFNIS, ANDERE ZU BEEINDRUCKEN

Löwen leben nicht dafür, den Macker rauszuhängen und zu beeindrucken, sondern dafür, ihr Revier und Rudel zu beschützen und zu vergrößern. Sie machen es um Welten besser als wir Zweibeiner.

Ich sehe bei so vielen Menschen das zwanghafte Verlangen nach Anerkennung und was dies mit sich bringt:

- → Die bedrohliche Empfindung, dass andere für mich eine Konkurrenz sind.
- → Das nagende Gefühl, nicht wichtig zu sein.
- → Schnell verletzt sein, wenn jemand sich kritisch über mich äußert.
- → Das Verlangen, bei «wichtigen» Leuten anzukommen.

Wenn du zu dir als Person Ja sagen kannst, dann wirst du zur Ruhe kommen, denn du musst nicht mehr den Aufwand betreiben, andere zu beeindrucken. Vielmehr durchströmt dich eine Dankbarkeit dafür, wie Gott dich geschaffen hat.

Dankbarkeit ist definitiv einer der wichtigsten Schlüssel für ein glückliches Leben. Und Grund dafür gibt es jederzeit mehr als genug:

Ich bin dankbar für die Steuern, die ich jedes Jahr bezahle,
weil das doch heißt, dass ich einen Job habe.

×

Ich bin dankbar für die Unordnung, die ich nach einer Party aufräumen muss,
weil es zeigt, dass ich Freunde habe.

×

Ich bin dankbar für den Rasen, der gemäht werden muss, die Fenster, die ich putzen muss, die Regenrinne, die ich reparieren muss,
weil es mir zeigt, dass ich ein Zuhause habe.

×

Ich bin dankbar für den Muskelkater und die Müdigkeit am Ende des Tages,
weil es beweist, dass ich dazu fähig war, hart zu arbeiten.

×

Ich bin dankbar für die Frau, die hinter mir in der Kirche falsch singt,
weil es mir zeigt, dass ich nach wie vor gut hören kann.

×

Ich bin dankbar für den Wecker, der frühmorgens klingelt,
weil das nichts weniger bedeutet, als dass ich noch immer am Leben bin.

(Joel Osteen: «Every Day a Friday», Nashville: Faith Words, 2011, Seite 70.)

Wenn du dankbar bist für die Dinge, die in deinem Leben abgehen, musst du nicht mehr über den Zaun zum Nachbarn schielen und dein Leben mit seinem Leben vergleichen. In diesem Sinne ist es sogar gesund, sich manchmal auf sein eigenes Leben zu konzentrieren.

GEMEINSAM IST ALLES MÖGLICH

Wir brauchen Freunde in unserem Leben, die das gleiche Ziel verfolgen wie wir.

Löwen sind nicht die stärksten Geschöpfe in der Savanne, aber was ihnen an Kraft fehlt, machen sie durch Strategie und Tapferkeit wieder wett. Wie weiter oben schon erwähnt, sind Löwen im Rudel miteinander verwandt und daher gut vertraut mit den Stärken und Schwächen der anderen.

Wenn es darum geht, Nahrung zu erjagen, ein ausgebüxtes Junges zu suchen oder den Nachwuchs zu erziehen und zu beschützen, hat jede Löwin und jeder Löwe im Rudel ihre/seine Rolle und kann ihren/seinen Beitrag leisten. Dadurch werden sie zu einem unbesiegbaren Team mit einem gemeinsamen Ziel vor Augen.

Löwen und Löwinnen haben ihre Beziehungen untereinander in Ordnung gebracht. Löwinnen verstehen, dass sie in derselben Mission unterwegs sind wie der Löwe. Es ist ihr Job, eine starke Löwengeneration heranzuziehen und ihnen ein Vermächtnis mitzugeben. Sie ziehen ihre Jungen groß und beschützen und versorgen sie gut, um dieses Ziel zu erreichen. Sowohl der Löwe als auch die Löwin haben bei dieser Mission eine wichtige Rolle zu erfüllen.

Die Kraft liegt in der Einheit. Nur wenn es eine Einheit im Rudel gibt, werden sie sich vergrößern. Deshalb lassen sie es nicht zu, dass in ihrem Revier Uneinigkeit Einzug hält. Denn sie wissen: Wenn die Einheit zerstört ist, bedeutet das «Game over».

Uns Menschen machen diesbezüglich unsere Gedanken oft einen Strich durch die Rechnung. Wie oft denken wir:

«Gott, wenn ich meine Kinder hätte aussuchen können, ich hätte sie mir im Globus oder bei Karstadt und nicht im Denner oder bei Aldi geholt.»

«Gott, wenn ich mein Team in unserer Firma hätte zusammenstellen können, ich hätte beim A-Team und nicht beim B-Team angeklopft.»

Diese Gedanken sind in vielen Fällen der Anfang vom Ende. Sie zerstören die Einheit, weil du nicht bereit bist, für deine Familie oder dein Team alles zu geben.

EHE MAN ANFÄNGT, SEINE FEINDE ZU LIEBEN, SOLLTE MAN SEINE FREUNDE BESSER BEHANDELN.

MARK TWAIN

EINHEIT BEWIRKT LEBEN

Eine Löwin wird sich nicht fortpflanzen, wenn sie fürchten muss, dass sie nicht für ihre Jungen sorgen kann oder dass sie nicht richtig beschützt werden. Sie muss diese Einheit und Geborgenheit spüren und wissen, dass sie unterstützt wird. Einheit ist die Voraussetzung, damit neues Leben im Rudel entsteht.

Jesus betete, bevor er in den Himmel hinauffuhr, dass wir, seine Nachfolger, eine Einheit bilden. Denn wenn wir eins sind und uns unterstützen, dann können wir auch Gott um alles bitten, was wir wollen, und er wird es uns geben. Neues entsteht, Leben floriert.

«Ich gebe euch jetzt ein neues Gebot: Ihr sollt einander lieben! Genauso wie ich euch geliebt habe, sollt ihr einander lieben!»
— Johannes 13,34 (GNB)

Wenn die Einheit fehlt, hat der Teufel alle Möglichkeiten, das geistliche Leben zu stoppen. Wenn wir aber zusammenbleiben, dann bedeutet das: «It's showtime!» Menschen kommen zum Glauben, sie werden lebendig und blühen auf.

Ein Junge von neun Jahren baute eine Maschine. Er war darüber hellauf begeistert und holte seinen Vater hinzu, um sein Werk zu bestaunen. Der tat dies ausgiebig, lobte seinen Sohn und strich heraus, was er an dieser «Schöpfung» besonders gut gelungen fand. Auf diese Art und Weise angespornt, arbeitete der Junge weiter und hörte nicht mehr auf, ständig Dinge zu erfinden und zu verbessern.

Zwanzig Jahre und zehntausend Fehlversuche (inklusive angesengtem Haar) später gelang diesem jungen Mann eine bahnbrechende Erfindung. Er hielt die erste Glühbirne in seinen Händen, oder was davon noch übrig war.

Dies ist die Geschichte von Thomas Alva Edison. In seinen Memoiren beschreibt er, wie sein Vater ihn zwanzig Jahre lang immer wieder unterstützte und bei jeder noch so verrückten Sache Dinge fand, die interessant und lobenswert waren, wenn er ihn bat, eine neue Erfindung zu begutachten. Vater Edison fand immer einen Grund, seinem Sohn auf die Schultern zu klopfen.

Thomas Edison ist ein gutes Beispiel für jemanden, der seine eigene Begabung entdeckte, ernst nahm und dann übte und übte und übte, bis zur Vollendung.

Doch was mich an dieser Geschichte noch mehr begeistert, ist die Kraft, die Edison aus der Unterstützung durch seinen Vater schöpfte. Die beiden waren eine Einheit, und mit dem Vater im Rücken nahm Edison Meter um Meter seines Reviers ein. Sein Vater stand zu ihm, neben ihm und um ihn herum. Solch verschworenen Einheiten ist alles möglich. Sogar, Licht zu erzeugen! Verschworene Einheiten kommen vorwärts.

«Ich bin bereit, überall hinzugehen, wenn es nur vorwärts ist.» *— David Livingstone*

Doch diese angestrebte Einheit ist auch eine fragile Sache. Nur zu leicht geht sie in die Brüche, ausgelöst durch unseren Egoismus, durch Stolz oder Minderwertigkeitsgefühle.

UNEINS ZU SEIN BEWIRKT ZERSTÖRUNG

Wenn Löwen und Löwinnen nicht zusammenleben und ihr Gebiet gemeinsam beschützen, dauert's nicht lange, und sie werden zu Opfern der Wildnis.

Der Teufel versucht uns zu separieren. Und wenn wir alleine sind, sind wir keine Gefahr mehr für ihn. Denn wir kämpfen nicht mehr mit- und füreinander, sondern gegeneinander.

Wie die beiden Männer, die mit zwei Booten unterwegs waren, um zusammen eine neue Heimat aufzubauen. Plötzlich stresste es den einen, dass sein Kumpel schneller war. So krempelte er sein Hemd hoch, drückte seine ganze Kraft in die Ruder und holte ihn ein. Das wiederum konnte der andere Bootsmann überhaupt nicht genießen. Jetzt gab er seinerseits dem Boot die Ruder.

Daraus entwickelte sich ein Boot-an-Boot-Rennen. Sie steigerten sich so in den Wettstreit, dass sie anfingen, alles vom Boot zu werfen, um an Gewicht zu verlieren und an Geschwindigkeit zuzulegen. Als sie ankamen, hatten sie kein Essen, kein Material und auch keine Werkzeuge mehr, um die neue Heimat aufzubauen. Alles war weg, und zu allem Übel brach ihre Freundschaft auch noch auseinander.

Der Teufel hat ein so einfaches Spiel. Er streut eine Prise Wettbewerb, fügt einen Esslöffel Eifersucht und drei Teelöffel Minderwertigkeitsgefühl hinzu, und irgendwann geht der Sauerteig auf.

Du tickst dann nicht mehr ganz richtig und tust Dinge, die Gottes Reich zerstören. Und der Teufel plant unterdessen schon das nächste Bootsrennen und lacht sich ins Fäustchen, dass sein Trick schon von Anfang an funktioniert hat.

Kain erschlug Abel aus Eifersucht.

Später in der Geschichte der Menschen regierte König Saul über Israel. Dummerweise war da noch David, ein einfacher Soldat, der ihm das Leben schwermachte. Und die Menschen in Israel sangen

diesen Chart-Hit, der Sauls Ohren madig machte: «Saul hat tausend besiegt, und David hat zehntausend besiegt.»

«Tausend Feinde hat Saul erschlagen, doch zehntausend waren's, die David erschlug! Dieses Lied gefiel Saul ganz und gar nicht und er wurde sehr zornig.» — *1. Samuel 18, 7–8 (GNB)*

Sauls Eifersucht trieb ihn so weit, dass er immer und immer wieder versuchte, David zu Hackfleisch zu verarbeiten.

Zur Zeit von Jesus lebten die Pharisäer und die Schriftgelehrten. Sie bildeten die religiöse Elite im Land, zu denen alle Männer und Frauen aufschauten.

Plötzlich kam Jesus – ein Quereinsteiger –, heilte Menschen, befreite sie von Dämonen, gab ihnen Hoffnung. Die Pharisäer drehten ziemlich schnell im roten Bereich: «Dieser Jesus hat zu viel Einfluss; wir müssen ihn entsorgen!»

Wenn Eifersucht in einer Familie, in einer Firma, in einem Rudel, in einer Kirche Einzug hält, werden Menschen eliminiert. Wenn nicht körperlich, dann mindestens geistlich.

Deshalb muss in allen Bereichen des Lebens die Erhaltung der Einheit oberste Priorität genießen.

ZIELE SETZEN DAS POTENZIAL FREI

Bevor die Löwen sich auf die Jagd begeben, machen sie gemeinsam Rast.

- → Gemeinsam werden sie hungrig.
- → Gemeinsam strecken sie sich und erheben sich.
- → Gemeinsam stecken sie als verschworene Einheit die Köpfe zusammen.
- → Gemeinsam nehmen sie die Jagdposition ein.
- → Gemeinsam erlegen sie das Tier.
- → Gemeinsam verzehren sie das Festmahl.

«Kannst du für eine Löwin auf Beutezug gehen und den Hunger der jungen Löwen stillen?»
— Hiob 38,39 (NLB)

Die Dynamik des Jagens besteht bei Löwen aus drei Faktoren: Timing, Tarnung und Nähe.

GÖTTLICHES TIMING

Für die Löwinnen ist das richtige Timing elementar. Sie jagen, wenn ihre Umgebung die besten Bedingungen bietet – Dunkelheit oder Morgendämmerung. Sie warten geduldig, bis das Licht optimal ist. Auch wenn sie Hunger haben und sie sich wünschen würden, dass es schon Abend oder Morgen wäre, sie sind nicht im Besitz einer Kurbel, um die Sonne schneller auf- oder untergehen zu lassen. Da hilft ihnen auch der Status «Königin der Tiere» nix.

Löwinnen verstecken sich tagsüber im goldenen Gras und machen ein Nickerchen. Oder zwei. Oder drei. Doch wenn die Lichtverhältnisse am günstigsten sind, dann kommt ihre Zeit und damit auch Leben in ihre müden Knochen.

So wie die Löwin geduldig wartet, sind auch wir auf unserer Jagd mit einer wohl bemessenen Wartezeit gut beraten.

Doch Jagd bedeutet auch, etwas rasch und heftig zu verfolgen. Wenn sich eine Möglichkeit ergibt, gilt es, die Sache klarzumachen, yo!

Vor fünfzehn Jahren haben wir viel technischen Schnickschnack gekauft, um unsere Celebrations ins Fernsehen zu übertragen.

Im letzten Moment erhielten wir eine Absage vom TV-Sender, der zuvor noch bereit gewesen war, unser Programm zu übertragen. Gute Nacht!

Wir waren gefordert, uns in Geduld zu üben. Damit die Kameras keinen Rost ansetzten und ins Altersheim geliefert werden mussten, übertrugen wir zehn Jahre lang die Celebrations auf Großleinwände in unserer Halle und betrachteten das Ganze als perfektes Übungsfeld. Schließlich ist noch kein TV-Meister aus der Kiste gepurzelt.

Dann ging alles sehr schnell. An einem Sonntag erschien ein piekfeiner Mann in Anzug und Krawatte, der überzeugt war, dass diese Gottesdienste ins Fernsehen gehören. Dank seinen Kontakten waren wir ratzfatz auf Sendung bei mehreren TV-Stationen. Gott öffnete aus dem Nichts Türen, an denen wir uns die Finger wundgestoßen hätten, ohne dass sie sich auch nur einen Millimeter bewegt hätten.

All die Jahre haben wir treu unsere Gottesdienste auf die Leinwand übertragen. In dieser Zeit haben Frauen und Männer aus unseren eigenen Reihen ihre göttliche Begabung im Kamera-Handwerk entdeckt und entwickelt. Man munkelt, dass der eine oder andere die Kamera sogar mit ins Bett nahm.

Über Nacht waren wir in sechs TV-Stationen. Jetzt galt es, Gas zu geben.

Wir mussten große Summen von Geld auftreiben, Trailer erstellen, zusätzliche Predigten zwischen den offiziellen Gottesdiensten filmen, weil wir sonst zu wenig Material gehabt hätten, um jeden Sonntag neue Sendungen auszustrahlen.

Auch wenn wir Schweizer die Uhr perfektioniert haben, die Zeit tickt immer noch nach Gottes Gutdünken, und das Timing liegt in seiner Hand.

GÖTTLICHE BEGABUNG

Wie die Löwen, so verfügen auch wir über unsere eigene Form der göttlichen Begabungen: außergewöhnliche Fähigkeiten oder Stärken, die nur darauf warten, in unserem Leben sichtbar zu werden.

Die Löwen entdecken ihre individuelle Jagdfähigkeit erst während der Jagd. Die eine Löwin realisiert, dass sie alle Tricks der Ablenkung draufhat, die andere merkt, dass ihr Krallenschlag seinesgleichen sucht und damit sogar bei den Klitschkos das Licht auslöschen kann.

So erleben wir das auch in unserer Kirche. Während sich die Leute einsetzen, entdecken sie ihre großartigen Fähigkeiten.

Chris entwickelte sich durch Mithilfe im Audioteam zu einem außergewöhnlich begabten Tontechniker. Heute plant er große Events in ganz Europa.

Kevin entwickelte sich in unserer Kirche zum innovativen Lichttechniker. Heute leitet er unseren ganzen technischen Bereich.

Michi entwickelte sich in unserer Kirche zum TV-Direktor.

Timo arbeitete früher in der Werbebranche, kam zum Glauben und entwickelte den Traum vom christlichen Fernsehen. Vor zwei Jahren wurde er auf ICF Zürich aufmerksam und bekam die Chance, unsere Sendungen zu produzieren.

Dank dem TV-Projekt innerhalb unserer Kirche wuchsen wir exponentiell in unseren Begabungen und rückten so nahe zusammen wie selten zuvor. Und was ich dabei entdeckte, begeisterte mich. Es gibt auf der Welt keinen Ort wie die Kirche, wo du die Möglichkeit hast, so viele Dinge auszuprobieren, und gleichzeitig deine Gaben entwickeln kannst.

Schau mich an. Ich habe eine Ausbildung zum Offsetdrucker gemacht; dort kannst du nicht sprechen. Dort heißt es: Klappe halten und drucken!

Wo gibt es einen Ort, wo die Leute sagen: «Predige. Schnauze auf und los von Rom! Laber, Junge, laber, gebrauch deine Stimmbänder und begeistere uns!»

ICF hat mir die Chance gegeben, mein größtes Talent zu entdecken, wohingegen die Wirtschaft mir diese Chance nicht geben konnte.

In der Kirche hast du so viele Jobangebote, und du hast die Qual der Wahl:

Du kannst …

→ mit Kindern arbeiten.
→ mit Jugendlichen abhängen.
→ dir im Worship-Team die Kehle heiser singen.
Und wenn sich dabei alle die Ohren zuhalten, wechselst du halt hinters Mischpult und wirst Tontechniker.

Du kannst …

→ Video-Filme produzieren.
→ Männerabende organisieren oder
→ die Kollekte zählen. Und du bist dabei so schnell, dass du realisierst: Du bist der groß-

artigste Buchhalter on the Planet! Und du hast diese Gabe in der Kirche entdeckt!

Die Kirche hält für uns ein Jobangebot bereit, das uns die Wirtschaft niemals bieten kann. Viele Frauen und Männer haben ihre Fähigkeiten in der Kirche entdeckt, in dem Rudel, in dem Gebiet, in der Gemeinde. Da geht mein Herz auf. Da biegt sich meine Nase vor Freude nach oben. WGIDD. Wie Geil Ist Das Denn?! Ich liebe die Kirche, die Erfindung von Jesus!

GÖTTLICHE NÄHE

Bei der intensiven Löwenjagd hat jeder Löwe seine Aufgabe.

Plötzlich stürzt Löwin Nummer eins aus dem Unterholz. Die zu Tode erschrockene Antilope springt mit dem Herzen im Euter auf und davon.

Ihre Hinterläufe entgehen nur knapp den scharfen Krallen der Löwin.

In dieser Schrecksekunde merkt die Antilope nicht, dass sie in einen Hinterhalt läuft. Löwin Nummer zwei taucht vor ihr auf und versperrt ihr wie das Polizeiauto den Weg. Nur dass die Löwin in ihrem Fall nicht ihr Freund und Helfer ist.

Sie macht kehrt, um ihr zu entkommen, und kreuzt den Weg von Löwin Nummer drei.

Die tötet das Tier mit einem gezielten Prankenschlag oder einem Biss in die Kehle. Ratsch! Wumm! Aua!

Hat Löwin Nummer eins versagt? Nein.

Sie war Teil eines sorgfältig ausgeführten strategischen Planes, in dem die Löwinnen immer die Nähe zueinander suchen.

Löwinnen sind die einzigen Großkatzen, die in der Einheit jagen. Jede Löwin nimmt ihre Position ein und perfektioniert ihre Jagdkünste in der Gesellschaft der anderen. Ihre koordinierte Jagd nah beieinander ist atemberaubend.

Diese Nähe zueinander verlieren sie nie. Auch wir sollten diese Nähe zueinander nie verlieren.

«Zwei haben es besser als einer allein, denn zusammen können sie mehr erreichen.»
— Prediger 4,9 (Hfa)

ARBEITE MIT SPAAASS!

«Es gibt nichts Besseres für den Menschen, als sich an dem zu freuen, was er isst und trinkt, und das Leben trotz aller Mühe zu genießen. Doch ich erkannte, dass auch das ein Geschenk Gottes ist.» — *Prediger 2,24 (NLB)*

Löwen arbeiten immer mit Spaß.

Sie tanzen förmlich beim Jagen.

Ein Ziel ohne Spaß zu erreichen, kommt für sie nicht in Frage.

Deshalb sieht eine Löwenjagd immer so verspielt aus, weil der Spaßfaktor genauso wichtig ist wie die Vorgabe, das Ziel zu erreichen.

Oft, wenn es um kirchliche Angelegenheiten oder die Sache Gottes geht, wird alles so ernst und schwer. Doch Gott selbst fordert uns heraus, unsere Arbeit mit viel Gaudi und Holdrio zu verrichten.

«Dies ist der Tag, den der HERR macht; lasst uns freuen und fröhlich an ihm sein.»
— *Psalm 118,24 (LB)*

Wir wollen Menschen für Gott begeistern. Unser Feind dabei ist der Teufel. Deshalb beten und proklamieren wir, was die Knie hergeben. Das ist eine ernste Sache, stimmt – doch vor lauter Ernst und Eifer merken wir nicht, dass wir den Menschen, die wir für Jesus begeistern möchten, vermitteln: «Wenn du gläubig wirst, ist alles nur noch ernst, grau und langweilig, ja. Du kannst dich genauso gut schon mal im Altenheim melden.»

Wir haben bei unserer heiligen Aufgabe, Menschen zu fischen, den «Fun», die Freude und den Spaß verloren. Das ist schade. Und sogar unbiblisch.

Die Löwen tun beides. Sie jagen mit Eifer und Konzentration, schließlich benötigen sie und ihre Jungen die Kalorien. Doch dabei sind sie immer spielerisch drauf und haben einen Mordsspaß im wahrsten Sinne des Wortes!

Es gibt kein Tier, das sie nur mit biederer Routine und eindimensionalem Ernst jagen. Nein! Wenn sie schon jagen und arbeiten, dann mit wehenden Fahnen, fröhlich und in Tanzschuhen. Come on, Baby, let's twist again!

Nun sagst du: «Leo, du lustiger Kauz. Du kennst die Firma nicht, in der ich arbeite.»

Mag sein, dass deine Firma nicht Disneyland ist. Aber ich bin überzeugt, dass du dein Umfeld mit deiner Fröhlichkeit verändern kannst. Dann bist du der Buchhalter, der vor lauter Freude an Zahlen auf dem Tisch tanzt und ein Bürostuhlrennen die Treppe runter organisiert.

Es gibt immer eine Möglichkeit, und es gibt immer einen Weg. Immer.

Arbeit ohne Spaß, das kannst du knicken.

Meinen Söhnen habe ich von den alten Zeiten erzählt:

«Als ich jung war, ging ich zur Kirche. Es war eine äußerst heilige und ernste Angelegenheit. In der Kirche wurde nicht gesprochen, und es wurden keine Witze erzählt. Man saß da und lauschte mit todernster Miene. Es war so viel Leben in den Räumen wie in der sibirischen Tundra. Deshalb kam ich zum Schluss: Kirche = ernst = langweilig. Ich folgerte: Will ich Spaß haben, muss ich ganz krass in die weite Welt hinaus. Entweder bin ich gläubig und ernst oder nicht gläubig und habe Spaß.

Als ich älter wurde, merkte ich, dass das nicht Gottes Vorstellungen entspricht. Deshalb hab ich mir geschworen, meine lieben Boys: Im ICF wird die harte Reich-Gottes-Arbeit immer mit Spaß erledigt!»

Fragte mein Sohn Simon: «Papi, was laberst du? Was willst du sagen?»

Das Antworten übernahm Stefan für mich, mein zweiter Sohn:

Wer Spaß hat
bei dem, was er tut,
muss nie wieder
arbeiten.

«Simon, raffst du es nicht? Wir gehen in die Kirche, und wir haben Spaß dabei. Wir machen da wahnwitzige Games, ziehen uns Videomessages rein und sehen uns lustige Sketche der Jugendpastoren an. Wir gehen ins Camp, erleben halsbrecherische Abenteuer, erzählen uns dabei die besten Witze und machen bis tief in die Nacht Ping-Pong-Partys. Und Mutti organisiert Ladies' Celebrations, wo sich die Muttis dieser Welt über Jesus unterhalten, sich dabei die Nägel lackieren und Schokolade essen. Der Spaß, Bruder, der Spaß!»

Simon: «Ja, aber das ist doch alles ganz normal!»

Ich: «Junge, du outest dich gerade als Kirchengeschichtsunkundiger, schäm dich. Es ist etwas Neues in der Historie, dass man Kirchen gründen kann und dabei noch Spaß hat.» Spaß dabei, dem Teufel Land wegzunehmen. Ja!

«Teufel, ich nehme dir Land weg!» Wir machen es spielerisch. Das nervt ihn noch mehr!

Deshalb fordere ich dich mit vollem Ernst auf: Lasst uns den Spaßfaktor ernst nehmen, lasst zu, dass er geweckt wird, und wenn du ihn hast, verliere ihn nicht, um Himmels willen!

KAPITEL 5

AUS FEHLERN LERNEN

Bereits die Art und Weise, wie Löwen einander begrüßen, schafft ihnen das nötige Fundament, um einander zu vertrauen und auch aus Fehlern zu lernen.

«Was ist deine Mutter? Eine Löwin unter Löwen! Sie lagerte bei den jungen Löwen und zog ihre Jungen auf. Eins von ihren Jungen zog sie groß und es wuchs zu einem starken jungen Löwen heran.» — *Hesekiel 19,2–3 (NLB)*

Löwenmütter legen Wert auf eine gepflegte Aufzucht ihrer Jungen.

Sie haben keinen Bock auf verzogene kleine Bengel, die sie immer und überall suchen müssen. Gleichzeitig wollen sie den Kurzen aber eine liebevolle Atmosphäre bieten, in der sie gedeihen können, Fehler machen dürfen, und daraus gestärkt hinausgehen.

Dabei legen die Mütter folgende Verhaltensmuster an den Tag:

1. Sie begrüßen die Jungen herzlich in ihrem Rudel.

2. Sie lecken ihnen das Fell und reinigen es dadurch von Parasiten.

3. Sie bringen ihnen bei, wie man jagt und im Alltag überlebt.

Die ganze Aufzucht findet in einer unglaublich positiven, ermutigenden und liebevollen Atmosphäre statt, die von den Löwenmüttern geprägt wird.

BEGRÜSSUNGS-KUSS: DU BIST NICHT ALLEINE

«Der Mensch will brutto geliebt werden, nicht netto.»
— Friedrich Hebbel

Wie ermutigend bist du?

Ein Ermutiger sieht Fähigkeiten in anderen, die diese selber noch nicht sehen können. Sie sind Meister der Komplimente, sie beherrschen die Kunst, anderen mit wenigen Worten Mut zu machen und ihr Selbstvertrauen in schwindelerregende Höhen zu katapultieren. Daraus resultieren dann Glaubensschritte, die vielleicht auch mal auf einen Fehler hinauslaufen. Aber der Ermutiger ist da, hilft auf und motiviert dazu, weiterzugehen.

Lernen wir von den Löwen. Schauen wir uns ihre Rituale mal genauer an.

Löwen begrüßen sich, indem sie die Stirn aneinander reiben. An der Stirn befindet sich nicht etwa eine Türklingel, um dem anderen mitzuteilen, dass man da ist, sondern eine Duftdrüse.

Indem sie die Stirn aneinander reiben, wird der Duft aktiviert, und es kommt zu einem Austausch der Düfte wie am Morgen im Fahrstuhl. Hust! Röchel.

Durch den Austausch entsteht ein neuer, rudeltypischer Duft, der die Zusammengehörigkeit stärkt. Ein Gefühl der Annahme macht sich breit. Wir gehören zusammen!

Mit dem Stirnknutscher geben die älteren Löwen den jüngeren zu verstehen: «Du gehörst zu uns. Du bist hier so was von willkommen, das kannst du dir gar nicht vorstellen!»

Löwenbabys sind unter ihren Artgenossen kleine Stars. Jeder will mal an der Stirn rubbeln, was ich bei diesen putzigen Kerlchen gut nachvollziehen kann. Löwenbabys werden von allen abgeleckt, begrüßt, gedrückt und umarmt. Und wenn auch der eine oder andere sich bei Tante Liona gerne drücken würde, weil ihre Küsse zu nass sind, verstehen sie doch erst durch dieses Ritual, dass sie hier in Sicherheit sind und dass sie immer genug Futter kriegen werden und eines Tages so groooooß und stark werden wie Papa. Wenn sie schön brav aufessen. Hat Mama gesagt.

Dasselbe Gefühl können auch wir unseren Nächsten vermitteln:

- → Du gehörst dazu.
- → Du bist bei mir in Sicherheit.
- → Ich habe dich gern.
- → Ich nehme dich an, wie du bist.

Dies schafft einen Boden, der es Menschen möglich macht, Dinge auszuprobieren, Fehler zu machen, zu lernen und aufzublühen.

«So ermutigt und tröstet einander, wie ihr es ja auch bisher getan habt.»
— 1. Thessalonicher 5,11 (Hfa)

Ein junger Mann, der Mühe damit hatte, die Richtung in seinem Leben zu finden, war während seiner Collegezeit im Jahre 1975 für kurze Zeit zu Hause. Er besuchte den Kosmetikladen seiner Mutter und fand eine Stammkundin, Ruth Green, vor, die gerade ihre Haare machen ließ. Er begrüßte sie und setzte sich hin, wurde aber nervös, weil sie ihn so innig anschaute. «Hab ich noch Nutella um den Mund?», fragte er sich.

Nach einer Weile tauchte Frau Green unter dem Haartrockner hervor und fragte: «Kann mir jemand einen Stift und ein Blatt Papier geben?»

Sie schrieb eine Vision auf, die sie für den jungen Mann erhalten hatte, als er in den Laden seiner Mutter hineinspazierte. Sie reichte ihm das Blatt:

«Denzel, du wirst zu Millionen sprechen. Du wirst die Welt bereisen und einen positiven Unterschied machen.»

Der junge Denzel Washington legte diese Prophetie in seinen Geldbeutel und in sein Herz. Immer wenn er in den darauffolgenden Jahren in seiner Schauspielkarriere eins auf den Deckel bekam, nahm er die Prophetie von Frau Green hervor. Es erinnerte ihn daran, dass jemand an ihn glaubte.

Bis zu diesem Tag trägt der Oscar-Preisträger diese Prophetie in seinem Geldbeutel herum.

Quelle des Hauptstrangs dieser Geschichte: http://www.essence.com/2006/03/27/denzel-washington-webexclusive

Wer weiß, wo Denzel Moviestar Washington wohl sein würde, wenn Frau Green sich nicht die Zeit genommen hätte, seine Zukunft zu segnen.

Wer weiß, ob er wohl das goldene Männchen namens Oscar abgesahnt hätte, wenn sie nicht diesen Glauben in sein Herz gepflanzt hätte.

Du weißt nie, welche Auswirkungen ein kleiner Zettel oder ein nettes Wort der Ermutigung haben können.

Wir können entweder das Beste in einem Menschen hervorrufen oder das Schlechteste.

Bei 75 Prozent der Leute, die im Gefängnis sind, haben entweder ihre Eltern oder ihr Vormund ihnen in ihrer Kindheit vorausgesagt, dass sie dort landen würden. Die falsche Saat wurde gesät. Tiefe Erwartungen wurden gepflanzt.

Wenn einem Kind gesagt wurde, dass es das Schlimmste erwarten soll, dann wird das Schlimmste eintreffen.

Ich frage mich oft, was passiert wäre, wenn jemand diesen Gefängnisinsassen in ihrer Jugend gesagt hätte, dass sie eines Tages Ärzte oder Unternehmer oder großartige Lehrer sein würden.

Wenn nur jemand an sie geglaubt und sich die Zeit genommen hätte, ihre Gaben hervorzurufen, ihren Träumen zuzuhören, sich anzuschauen, worin sie gut sind, und sie dann ermutigt hätte, dass sie alles sein können, was sie möchten – was wäre dann möglich gewesen?!

Wenn ihnen nur jemand die Erlaubnis gegeben hätte, erfolgreich zu sein, anstatt ihnen zu sagen, dass sie versagen werden, Mann o Mann!

«Sorgen drücken einen Menschen nieder – aber freundliche Worte richten ihn wieder auf.»
— Sprüche 12,25 (Hfa)

Vor 23 Jahren stand ich mit Susanna, meiner damaligen Freundin und heutigen Frau, vor dem einzigen Lichtsignal im Glarnerland, wo sie herkommt. Ich kannte sie noch nicht lange. Das hielt mich aber nicht davon ab, ihr tief in die Augen zu schauen und ihr diesen bedeutungsschwangeren Satz vorzutragen, den sie bis heute nicht vergessen hat:

«Eines Tages wirst du mit mir auf der Bühne stehen!»

Wenn du heute meine Frau auf der Bühne sprechen hörst, wortgewandt, begeistert und voller Leidenschaft, scheinen diese Worte nicht gerade spektakulär.

Aber damals wäre meine Frau überall lieber gewesen – hinter der Bühne, neben der Bühne, unter der Bühne, einfach gesagt: weit weg von der Bühne. Auf jeden Fall nicht auf der Bühne.

Hat sie gesagt.

Ich äußerte diesen Satz im jugendlichen Glauben. Einfach so. Für Susanna war es der Begrüßungskuss: «Du gehörst dazu. Ich nehme dich mit in mein Abenteuer!»

Diese Worte haben den Boden gelegt für Susannas Wirken unter den Frauen in unserer Kirche. Vor 23 Jahren nahm sie meine Worte und glaubte mir. Sie krochen ihr über ihre wunderschönen Ohren zum frisch gefurchten Ackerboden ihres großen Herzens und begannen, ihr Leben zu bestimmen.

Hat sie gesagt.

Es ist kaum zu glauben, wie viel ein Satz aus meinem bescheidenen Mund im Leben eines Menschen ausmachen kann.

Ein Satz gibt einem Leben eine Richtung.

«Wo keine Offenbarung ist, wird das Volk wild und wüst; aber wohl dem, der auf die Weisung achtet!» *— Sprüche 29,18 (LB)*

Du hast die Macht, deinem Mann etwas davon zu vermitteln, was du für ihn empfindest, was dir auf dem Herzen brennt. Und wenn du dich offenbarst, stärkt das in einem Wimpernschlag die Familienbande.

Du hast die Macht, deiner Frau etwas zu sagen, das sie zu einem Teil deines Abenteuers werden lässt. Und das ist genau das, was Frauen wollen!

Wir können unseren Kindern Worte mitgeben, die sie hoch hinaus bis zu den Sternen katapultieren und ihre Träume wahr werden lassen.

Die Bibel fordert uns heraus, uns auszustrecken nach dem, was Gott mit seiner Super-3D-Brille sieht, die Menschen aber noch nicht sehen können. Für die Menschen, die in unserem Kreis sind, können wir – wenn wir sie begrüßen, wenn wir sie umarmen, wenn wir diesen köstlichen Duft auslösen, der von unserem himmlischen Vater kommt, der uns inspiriert und abgehen lässt wie ein Zäpfchen mit Düsenantrieb – den einen, fetten Unterschied für ein ganzes Leben machen.

«Bevor man versucht, seine Feinde zu lieben, kann man versuchen, seine Freunde besser zu behandeln.»

— Mark Twain

FELLPFLEGE EINFACH: DU BIST DEINE ZUKUNFT

«Leben kann man nur vorwärts. Verstehen kann man es nur rückwärts.»
— Søren Kierkegaard

Nach dem Begrüßungskuss nehmen sich die Löwen das Fell vor. Sie lecken und schlecken, dass es eine wahre Freude ist. Warum tun sie das? Hat das Fell Kirsch-Aroma?

In der Savanne geht es rau zu und her. Löwen verletzen sich auf der Jagd, oder sie stehen harte Revierkämpfe aus. Manch blutige Stelle entsteht, an der verkrustetes Blut haftet, vor allem am Kopf und hinter den Ohren. Saublöd! Oder leck du dich mal hinter den Ohren! Deshalb sind sie froh über einen anderen Löwen aus dem Rudel, der seine raue Zunge ausfährt und diese unzugänglichen Stellen sauber- und weichleckt.

Übertragen auf uns, kann ein ermutigendes Wort verkrustete Orte in unserem Leben aufweichen, wo wir selber nicht drankommen.

Henry Ford, der Gründer der «Ford Motor Company», war am Ende mit seinem Latein bei der Entwicklung seiner Autos. In seinem Umfeld gab es etliche Menschen, die ihm sagten, dass aus seinen Entwicklungen nie etwas werden würde: «Henry, das kannst du knicken, das Ding fährt höchstens auf die nächste Müllhalde. Deine Fantasie geht mit dir langsam durch, du hast zu viel Öl geschnüffelt, Alter!»

Vermutlich hatte er selber die größten Zweifel, dass es überhaupt etwas wird mit der verrückten Idee eines Autos, das sich selber in Bewegung setzen sollte.

In seiner dunkelsten Stunde besuchte ihn Thomas Alva Edison, die «Mutter aller Erfindungen» der damaligen Zeit. Er hatte Gewaltiges erreicht in seinem Leben und mit der Glühbirne den Jahrhundert-Jackpot geknackt.

Als «Lightning Edi» das Miniatur-Modell, das bei Ford auf dem Tisch stand, sah, begannen seine Augen und sein ganzes Gesicht zu zucken. Vor Begeisterung schlug er mit der Faust zuerst auf den Tisch und anschließend in Henrys Rippen, der sich vor Schmerzen krümmte. «Henry, du heißer Schlitten, du bist ein verflixtes Genie! Du hast dein eigenes freaking mobile Kraftwerk entwickelt; du musst das Ding nur noch aufblasen und auf die Straße bringen, alter Schwede!»

«Ich bin Amerikaner.»

Diese Worte haben in Henry Ford im wahrsten Sinne des Wortes etwas in Gang gesetzt, wovon wir heute alle profitieren.

Dank Edis Worten bist du mobil.

Dank Edis Worten kann Schumi aufs Gaspedal drücken.

Dank Edi können Verletzte im Krankenwagen schnell ins Krankenhaus transportiert werden.

Und wenn dir letzterer Grund immer noch nicht reicht, dich zu freuen, dann ist es voll okay, wenn du keine Autos magst. Laufen ist gesund.

Es gibt die Momente in deinem Leben, da musst du den Edi für einen Henry Ford oder andere raushängen und einfach ermutigen, bis dir die Zunge abfällt. Und dann machst du weiter. Mit Händen und Füßen. Schließlich steckt in jedem von uns ein kleiner Italiener.

Du siehst Dinge und kannst Sachverhalte mit deinen Worten benennen und aussprechen, und sie verändern alles im Leben deines Gegenübers!

«Deshalb sollt ihr einander Mut machen und einer den anderen stärken …» *— 1. Thessalonicher 5,11 (NLB)*

Lasst uns die Ermutigungs-Weltmeisterschaften ausrufen, weil es zu viele Stellen in unserem Leben gibt, die verkrustet sind und die wir nicht selber reinigen können, weil unser Herz auf Grund dessen, was geschehen ist, verhärtet ist. Wir brauchen Menschen, und andere Menschen brauchen uns, dass wir uns gegenseitig das Fell wieder weichlecken.

Der Meister in allen Klassen, was Fellpflege anbelangt, ist Jesus himself. Er hat ein 4-Punkte-Programm zusammengestellt:

1. FÖRDERN

Fellpflege beinhaltet, dass man andere fördert.

Jesus hat sich soeben durch einen Predigtmarathon durchgekämpft, als seine Jungs bemerken, dass die Masse gleich vom Stuhl kippt, falls sie nichts zwischen die Beißerchen bekommt. Das Problem ist, es sind 5000 Männer plus Anhang zugegen. Wie kriegt man diese Armada satt? Da reicht eine Dönerbude nicht aus.

Jesus hat die Lösung: «Gebt ihr ihnen zu essen!»

Vielen Dank, werden sich die Jünger gedacht haben. Der Punkt aber ist: Jesus fördert seine Boys, er glaubt an sie, an ihre Kreativität und ihre Ideen. Auch wenn sie selbst noch nicht so viel davon halten.

Vielleicht steckst du in einer ähnlich unmöglichen Lage. Vielleicht würdest du am liebsten die Arme verschränken und Jesus zusehen, wie er einen seiner Tricks aus der Kiste packt.

Doch er sagt: «Ich mache es mit dir, ich mache es durch dich. Hilfst du beim Austeilen?»

Und wenn du einschlägst, realisierst du plötzlich, wie viel eigentlich in dir drin steckt.

2. LOBEN

Jesus ist ganz scharf aufs Loben. Loben heißt nichts anderes als «erheben». Etwas von unten nach oben befördern. Einmal mehr eine Paradedisziplin von Jesus. Er wendet sie bei der Prostituierten an, die ihm eine Pediküre verpasst.

Sie selbst und ihre Umwelt definieren diese Frau über ihren Mangel und über das, was sie Tag für Tag alles falsch macht. Alle zeigen mit ihrem krummen hässlichen Zeigefinger auf sie und merken nicht, dass dabei drei andere Finger auf sie zurückzeigen. Jesus kümmern all die Finger so wenig wie das Wetter, schließlich ist er Herr über alles. Er setzt diese Frau, bildlich gesprochen, auf den Thron. Vor allen.

«Ihr habt keine Ahnung, was diese Frau heute für mich getan hat. Mit ihren Tränen und dem kostbaren Öl. Ich verspreche euch, von dieser wunderbaren Frau wird man zu allen Zeiten sprechen!»

Wie Recht Jesus hatte. Dieses Buch liefert den Beweis dafür. Jesus erhebt die Frau, er lobt sie und verleiht ihr wahre Größe!

Wir können nicht genug Lob verteilen. Echtes Lob – nicht für Dinge, die ich hinter vorgehaltener Hand anders machen würde.

Es gibt immer etwas, wofür ein Lob ausgesprochen werden kann. Immer. Deshalb geh ich gleich mal mit gutem Beispiel voran: «Lago mio, kannst du gut lesen!»

Anerkennung bringt Menschen dazu, zu wachsen und aufzublühen – und es macht Menschen geschmeidig, weil die verkrusteten Stellen weich werden. Weichspüler im Regal werden überflüssig.

3. FEIERN

Jesus hat mit den Menschen gefeiert.

Zu Zachäus sagte er: «Zachäus, heute komme ich zu dir nach Hause. Ey, was geht ab? Wir feiern die ganze Nacht, und zwar im ganz großen Stil. Komm, wir machen ein Fass auf und hängen die Spanziege übers Feuer!»

Wie hat sich Zachäus gefreut. Normalerweise machte niemand mit ihm Party. Außer seine Mutter. Und das machte so viel Spaß wie saure Kiwis essen.

4. BETEN

Jesus betete für die Menschen.

Petrus' Beziehung zu Jesus war geprägt von Hochs und Tiefs. Mal schlug sie auf die eine Seite aus, mal auf die andere, wie das Pendel der Uhr. Jesus war dabei seine Mitte.

«Ich habe für dich gebetet, dass dein Glaube nicht aufhört», sagte Jesus zu Petrus, bevor das Pendel wieder mal auf die negative Seite schwang und dieser ihn verriet.

So ermutigte Jesus. Und er tut es heute noch. Wann hast du zum letzten Mal dein Ohr ans Herz von Jesus gelegt und gelauscht, was er dir zu sagen hat? Falls dies eine Weile her ist, kannst du sein Herz gleich jetzt schlagen hören:

«Ich habe zu dir gehalten und werde es weiterhin tun. Ich lasse dich nie los. Und jetzt feiern wir wie damals bei Zachäus!»

FÖRDERN LOBEN FEIERN BETEN

FELLPFLEGE DELUXE: JA, DU KANNST

Das Lecken der verkrusteten Stellen befreit diese nicht nur vom Blut, sondern entfernt auch gleichzeitig Zecken und Parasiten, die sich im Fell festgeklammert haben.

Diese fiesen Biester saugen das Blut aus den Tieren, und somit alles Leben.

Sie existieren auch in unserem Leben. Diese Gedanken-Parasiten lähmen uns und nehmen uns jegliche Lebensfreude:

→ Ich mag die Dinge nicht, die meine Freunde mögen. Was stimmt nicht mit mir?
→ Ich wurde von meinen Eltern misshandelt. Was stimmt nicht mit mir?
→ Die anderen in meiner Klasse mögen mich nicht. Was stimmt nicht mit mir?
→ Ich wurde nicht in diesen Ausschuss gewählt. Was stimmt nicht mit mir?
→ Seit fünf Jahren bin ich nicht mehr mit jemandem ausgegangen. Was stimmt nicht mit mir?
→ Meine Teenager benehmen sich furchtbar mir gegenüber. Was stimmt nicht mit mir?
→ Mein Ehepartner spricht kaum noch mit mir. Was stimmt nicht mit mir?
→ Am Arbeitsplatz werde ich nie befördert. Was stimmt nicht mit mir?
→ Ich habe schlechtere Schulnoten als mein Bruder. Was stimmt nicht mit mir?

Mit solchen Fragen spielen wir die Spielchen des Teufels.

Gott hingegen möchte nicht, dass wir uns mit derartigen Gedanken und den dazugehörigen Gefühlen quälen, sondern dass wir tief im Herzen begreifen, dass wir durch den Glauben an Jesus Christus in einer unerschütterlichen Beziehung mit ihm stehen.

Wenn wir wirklich überzeugt sind, von ihm angenommen zu sein, wird der Feind uns keine Minderwertigkeitsgefühle mehr vermitteln können.

«Denn der Ankläger ist endgültig gestürzt, der unsere Brüder und Schwestern Tag und Nacht vor Gott beschuldigte.»
— *Offenbarung 12,10 (Hfa)*

Der Teufel klagt uns immer wieder an, but:

Es lohnt sich nicht, mit Zecken und Parasiten zu leben. Es ist Zeit, den Dingern das Blut abzustellen, sie rauszudrehen und abzuwürgen. Und tschüss!

«Den Schuldschein, der uns wegen der nicht befolgten Gesetzesvorschriften belastete, hat er für ungültig erklärt. Er hat ihn ans Kreuz genagelt und damit für immer beseitigt.»
— *Kolosser 2,14 (GNB)*

Welches Bild du auch immer von dir selbst hast oder von anderen oder von etwas, das dich verletzt hat oder schwierig ist im Leben – da ist ein fetter roter Stempel drauf:

«Ungültig!»

Es wurde für ungültig erklärt. Es wurde mit Jesus ans Kreuz genagelt.

Wir sind frei davon.

Er hat uns frei gemacht.

Er hat die Zecken und Parasiten, die unser Leben bestimmen wollten, weggeleckt. Konkret bedeutet dies:

BRICH MIT DER VERGANGENHEIT

Du kannst deine Vergangenheit nicht ändern, aber du kannst etwas für deine Zukunft unternehmen. Wie man Gottes Gnade erhält und vorwärtsgeht, wird in der Geschichte ersichtlich, in der drei

Männer je zwei Säcke tragen. Ein Passant fragte den ersten Mann, was er im Sack habe.

«Der Sack auf meinem Rücken ist mit guten Sachen gefüllt, die mir passiert sind», sagte er. «Der Sack vor mir ist mit allem Schlechten gefüllt.»

Er war immer auf die schlechten Dinge vor ihm fokussiert, so dass er die Guten auf seinem Rücken nicht mal sehen konnte.

Der Fremde stellte dem zweiten Mann die gleichen Frage, aber erhielt die gegenteilige Antwort.

«Der Sack auf meinem Rücken ist mit den schlechten Dingen gefüllt», sagte er. «Der Sack vor mir ist mit den guten Dingen gefüllt.»

Immerhin konnte er die guten Dinge sehen und war nicht auf die negativen fokussiert. Aber beide Säcke waren so voll und drückten ihn nieder, so dass das Leben zur Last wurde.

Als Letztes stellte er dem dritten Mann die gleiche Frage.

«Der Sack auf meiner Brust ist gefüllt mit Sachen, die ich erreicht habe und an denen ich Freude habe.» Sagte er. «Der Sack auf meinem Rücken ist leer.»

«Warum ist er leer?», fragte der Fremde.

«Ich habe alle Fehler und Niederlagen, alle Schuld und Scham in diesen Sack getan und ein Loch in den Boden geschnitten, um sie freizulassen», antwortete er. «So habe ich mehr Gewicht vorne als auf dem Rücken, so dass ich weiter vorwärtsgehe. Der leere Sack auf dem Rücken wirkt sogar wie ein Segel im Wind, es bewegt mich vorwärts.»

(Joel Osteen: «Every Day a Friday», Nashville: Faith Words, 2011, Seite 88.)

Wie dieser dritte Mann musst du das Schlechte loslassen, dich am Guten festhalten und dich weiterhin nach vorne in Richtung deines Ziels bewegen.

«Darum bekennt einander eure Sünden und betet füreinander, damit ihr geheiligt werdet.»
— Jakobus 5,16 (EÜ)

JESSE OWENS

LASS DIR ETWAS SAGEN

«Der schlimmste aller Fehler ist, sich keines solchen bewusst zu sein.»
— Thomas Carlyle

Im Jahre 1936 wurden die Olympischen Spiele in Berlin, Deutschland, ausgetragen. Hitler war an der Macht und wollte nicht, dass Schwarze mitmachen, und noch weniger, dass sie gewinnen.

An diesen Spielen nahm ein junger schwarzer amerikanischer Athlet teil, der Jesse Owens hieß. Trotz Hitlers Wünschen hatte Jesse schon eine Goldmedaille gewonnen und war nun dabei, um seine zweite zu kämpfen.

Dieser Wettkampf war der Weitsprung. Jesse spürte die Feindseligkeit der Neider in der Menge und begann, den Fokus zu verlieren. Beim ersten Versuch patzte er. Er überschritt die Absprunglinie. Beim zweiten übertrat er wieder.

Ein weiterer Fehler, und er würde disqualifiziert werden. Das war völlig untypisch für Jesse, aber er ließ die Buhrufe aus der Menge sowie die Beschimpfung an sich herankommen. Sie verspotteten ihn immer noch und schrien gegen ihn. Er war sehr verunsichert.

Jesses Hauptgegner war ein großer deutscher Athlet mit dem Namen Luz Long. Sie kannten sich nicht. Jesse ging wohl davon aus, dass Long, der ein Sportsheld in seinem Land war, ihn als Schwarzen auch hasste.

Aber vor Tausenden von Leuten tat Luz Long, was in dieser Situation eigentlich undenkbar war. Er ging auf Jesse Owens zu, legte seinen Arm um ihn und gab ihm einen Rat.

Er sagte: «Jesse, die Distanz, um sich für das Finale zu qualifizieren, ist nur sieben Meter. Du bist schon über acht Meter weit gesprungen. Versetze deine Startlinie einfach um 7,5 cm nach hinten, so wirst du sicher vor der Linie abspringen.»

Jesse befolgte diesen Rat und qualifizierte sich mit dem nächsten Sprung. Der schwarze Amerikaner brach danach den Weltrekord und gewann seine zweite von insgesamt vier Goldmedaillen. Er schlug Luz Long mit dem letzten Sprung. Aber Long war der Erste, der ihm gratulierte.

Jesse Owens sagte später über den, der seinen Traum freigesetzt hatte: «Es kostete ihn viel Mut, sich vor den Augen Hitlers mit mir anzufreunden. Man könnte alle Medaillen und Pokale, die ich habe, einschmelzen, und sie würden nicht für eine Schicht über die 24-Karat-Freundschaft, die ich in diesem Moment für Luz Long empfand, reichen. Hitler muss wahnsinnig geworden sein, als er sah, wie wir uns umarmten. Das Traurige an der Geschichte ist, dass ich Long nie mehr gesehen habe. Er wurde während des Zweiten Weltkriegs getötet.»

Quelle: http://de.wikipedia.org/wiki/Jesse_Owens

Niemand steht höher beim Aufstieg zum Erfolg als jemand, der sich niederbeugt, um jemand anderem zu helfen.

Wenn du selbstlos lebst und bereit bist, Ratschläge zu erteilen, wie Luz Long es gemacht hat, dann wirst du immer Gottes Segen haben.

Wenn du jemand bist, der Träume freisetzt, dann wird Gott dafür sorgen, dass auch deine Träume in Erfüllung gehen.

Und gleichzeitig gilt: Nur wenn du bereit bist, Coaching von anderen Menschen anzunehmen, wirst du weiterkommen.

Ich habe festgestellt, dass das größte Vermächtnis nicht das ist, was wir *für* andere hinterlassen, sondern das, was wir in ihnen hinterlassen. Luz Long starb während des Zweiten Weltkriegs und hinterließ Jesse eine Erinnerung an Mut und Freundschaft, die dieser nie vergaß.

STEH WIEDER AUF

So manches kann uns im Leben passieren, uns niederschmettern und unten halten. Ein Todesfall. Eine zerbrochene Ehe. Arbeitslosigkeit.

Jesus sagt: «Ich habe alles vollbracht. Steh auf, komm mit mir, lauf mit mir!» Das Schlimmste ist, wenn wir liegenbleiben.

JEDER RÜCKSCHLAG

IST EINE GROSSARTIGE MÖGLICHKEIT

FÜR EIN COMEBACK.

«Du großer, barmherziger Gott, sei mir gnädig, hab Erbarmen mit mir! Lösche meine Vergehen aus!» — *Psalm 51,3 (Hfa)*

Dem Geist der Entmutigung nachzugeben stiehlt Träume. Die Haltung derer, die sich mit weniger zufrieden geben, ist:
Es lohnt sich nicht. Es lohnt sich nicht, für meine Ehe zu kämpfen. Es wird nie funktionieren.

Ich habe es satt, mich mit diesem Kind herumzuschlagen. Der Kampf lohnt sich nicht.

Ich mag nicht mehr das tun, was eigentlich richtig ist. Ich komme so nie vorwärts.

Das ist der Geist der Entmutigung, der versucht, deine Träume zu klauen und dich dort zu halten, wo du bist.

Jede Verheißung, die Gott in dein Herz gelegt hat, jeder Traum, den er in dich hineingepflanzt hat, ist es wert, dafür zu kämpfen.

- Dein Kind ist es wert.
- Deine Ehe ist es wert.
- Deine Gesundheit ist es wert.
- Deine Träume sind es wert.

Werde kein schimmliger Sesselkleber.

Vielleicht hast du einen Rückschlag erlitten wie David in der Bibel in 1. Samuel, Kapitel 30, als er mit seinen Männern von einer Reise zurück nach Ziklag kam und sie feststellen mussten, dass die

Amalekiter ihre Familien entführt und allen Besitz geraubt oder zu Schutt und Asche gemacht hatten. Ernüchterung machte sich breit. Die Amalekiter waren ein übermächtiger Gegner.

Vielleicht hast du eine Enttäuschung erlebt. Vielleicht hat eine Beziehung nicht funktioniert. Vielleicht stehst du gerade vor einem großen gesundheitlichen Problem. Vergiss nicht:

Jeder Rückschlag ist eine großartige Möglichkeit für ein Comeback.

Vielleicht wurdest du im Boxring auf die Bretter geschickt und hast schon ein paar Sternchen gesehen, aber du wurdest nicht k.o. geschlagen. Du musst wieder aufstehen und dich dem Kampf stellen. Wirf die Handschuhe nicht in die Ecke.

Gott hält dich in seiner Hand fest. Er sagt, wenn du im Glauben bleibst, wird er dich nicht nur herausholen, nein, er wird dich besser herausbringen, als du vorher warst.

Das ist das, was David tun musste. Er war angezählt, aber er blieb nicht unten. Er spielte in seinen Gedanken seine Siege ab. Als er den Kanal wechselte und eine Grundhaltung des Glaubens und der Erwartung annahm, wurde David von einem Opfer zu einem Kämpfer. Er sagte zu seinen Männern: «Steht auf! Wir greifen den Feind an. Wir holen zurück, was uns gehört.»

Die Bibel sagt uns, dass sie nicht nur alles zurückgewinnen konnten, was ihnen gestohlen worden war, sondern dass sie mit mehr herauskamen, als sie vorher hatten (siehe 1. Samuel 30). Genau das möchte Gott für jeden von uns tun. Aber es fing alles damit an, dass David begann, sich selber zu ermutigen.

Er erkannte, dass der größte Kampf nicht außerhalb von ihm stattfand. Er fand in seinem Innern statt.

Als alles gegen ihn stand – seine Familie war nicht dort, seine Freunde hatten sich gegen ihn gestellt, die Nachrichten waren nicht gut –, war seine Haltung: «Ich sorge mich nicht um diese Dinge. Ich weiß, dass der Gott, dem ich diene, fähig ist, alle und alles zu retten. Ich habe früher bereits erlebt, wie Gott mich aus der Grube wieder herausgeholt hat. Er hat meinen Fuß auf felsigen Grund gesetzt, er hat ein neues Lied in mein Herz gelegt. Und wenn er es damals für mich getan hat, dann weiß ich, dass er es auch jetzt für mich tun wird. Vamos!» Er gab Fury die Sporen, und es staubte nur noch. Das ist die Haltung, mit der wir die Aufmerksamkeit von Gott erwecken können.

→ Vielleicht hast du Fehler gemacht. Aber Gottes Gnade ist größer als jeder Fehler.

→ Vielleicht hast du einige Jahre damit vergeudet, falsche Entscheidungen zu treffen. Aber Gott hat immer noch einen Weg, um dich zu deiner Endbestimmung zu bringen. Er bringt dich in der 85. Minute auf den Platz. Die Mannschaft liegt mit 0 : 4 hinten, und du schießt noch fünf Tore. Come on!

→ Vielleicht hattest du eine Sucht. Aber die Kraft des Allerhöchsten kann dich von deiner Sucht losreißen. Yes, he can!

«Wenn Gott für uns ist, wer kann dann gegen uns sein? Gott hat seinen eigenen Sohn nicht verschont, sondern ihn für uns alle dem Tod ausgeliefert. Sollte er uns da noch etwas vorenthalten? Wer könnte es wagen, die von Gott Auserwählten anzuklagen? Niemand, denn Gott selbst hat sie von aller Schuld freigesprochen.»
— *Römer 8,31–33 (Hfa)*

Lass mich an dieser Stelle den Lebensentwurf eines Mannes aus Amerika schildern, der sich tatsächlich so abgespielt hat.

Dieser Mann versagte bei seinem ersten Versuch in der Geschäftswelt.

Dann versuchte er sich in der Politik. Innerhalb eines Jahres versagte er auch dort. Er ging zurück in die Geschäftswelt, um einen erneuten Versuch zu starten, und versagte wieder.

Drei Misserfolge in drei Jahren.

Donald Duck hätte es nicht besser gekonnt.

Nach vier Jahren des Werbens machte er seiner Flamme einen Heiratsantrag. Sie steckte seine Rosen kopfvoran in den Weinkübel und verschwand wortlos.

Später starb eine andere Liebe von ihm.

Die nächsten zwei Jahre kämpfte er ums Überleben und erlitt einen Nervenzusammenbruch.

Nachdem er sich zwei Jahre Zeit genommen hatte, um sich zu erholen, versuchte er sich nochmals in der Politik und wurde in seiner Bewerbung als Sprecher des Parlaments geschlagen.

Zwei Jahre später versuchte er, zum Wahlmann ernannt zu werden, und wurde abermals besiegt.

Drei Jahre danach bewarb er sich um einen Sitz im Kongress und wurde abgelehnt.

Er wartete weitere fünf Jahre, um sich nochmals für das Amt zu bewerben, und wurde geschlagen.

Während dieser Zeit starb sein vier Jahre alter Sohn.

Die nächsten sieben Jahre verbrachte er zurückgezogen und bewarb sich dann erneut um ein politisches Amt, diesmal im Senat. Wieder wurde er abgelehnt.

Im darauffolgenden Jahr wurde er von seiner Partei für die Kandidatur zum Vizepräsidenten aufgestellt, wurde jedoch in den allgemeinen Wahlen von seinem Konkurrenten geschlagen.

Nach zwei Jahren bewarb er sich erneut um einen Sitz im Senat, wurde aber abgelehnt.

Im Jahre 1860, zwei Jahre später, wurde Abraham Lincoln zum sechzehnten Präsidenten der Vereinigten Staaten von Amerika gewählt. Er hatte es geschafft!

Nach über zwei Jahrzehnten puren Kampfes.

Abraham Lincoln ist ein Held.

Weißt du, was?

Es besteht kein Unterschied zwischen Helden und gewöhnlichen Menschen; der Held kämpft lediglich fünf Minuten länger.

Kämpfe fünf Minuten länger.

KAPITEL 6

DEN BESCHÜTZER-INSTINKT WECKEN

SIE WERDEN GEGEN DICH KÄMPFEN, ABER SIE WERDEN DICH NICHT BEZWINGEN, DENN ICH BIN BEI DIR UND SCHÜTZE DICH. DAS SAGE ICH, DER HERR.

— *Jeremia 1,19 (GNB)*

Wenn ein Löwe zur Welt kommt, ist ihm der Instinkt angeboren, dass er automatisch seine Familie und sein Land beschützt und dafür kämpft.

Der Drang der Löwin, die Jungen zu beschützen, ist so stark, dass sie schon vor der Empfängnis an deren Sicherheit denkt.

Die Weibchen aus dem Rudel bekommen ihren Nachwuchs meist zur gleichen Zeit. Dadurch steigt die Überlebenschance der Jungen. Die Löwinnen können sie gemeinsam verteidigen. Sie ziehen eine Art Kinderhort auf, in dem die Betreuung der Kleinen während der Jagd gewährleistet ist. Die einen jagen, die anderen beschützen.

Auch dem Menschen ist dieser Beschützerinstinkt eigen. Das hab ich am eigenen Leib erfahren.

Ich war mit meiner Familie in einem deutschen Freizeitpark. Wir standen in einer Schlange vor einer Fußball-Torwand. Eine Kolonne von dreißig kleinen Kindern mit vorfreudigen Augen, inklusive meiner beiden Söhne, wartete geduldig, frisch gescheitelt, schweizerisch korrekt und stramm auf den Torschuss. Niemand drängelte sich vor.

Da näherte sich von der Seite her ein Herr mitsamt Sohnemann, passierte die ganze Schlange, packte den Ball und wollte schießen. Die Kinder murmelten: «Sieee … möchten Sie sich nicht auch in die Schlange stellen?» Der Mann schien sie nicht zu hören.

Ich dachte: *Eine ganz unangenehme Situation. Wenn ich jetzt nichts unternehme, sage ich damit meinen Kindern, dass sich hinten anzustellen und nicht zu drängeln reine Zeitverschwendung ist.*

Schnell wurde mir klar: Dies war der Moment, für den ich geboren wurde! Ich ging an allen Kindern vorbei, stellte mich breitbeinig, mit den Fingern am Abzug, vor den Mann.

SHOWDOWN IM WILDEN DEUTSCHLAND.

Ich wählte folgende Worte: «Entschuldigung, der Herr, Sie müssen sich anstellen. Wie alle anderen auch.»

Die Luft schwirrte.

Meine stahlblauen Augen fixierten den Fiesling.

Ich sah das Zucken um seinen Mundwinkel.

Er schaute mich nicht an, sein Fokus lag auf der Torwand. Er holte Anlauf, um den Ball zu schießen.

Eine ganz unangenehme Situation, dachte ich.

Ich packte ihn am Arm, zerrte sein Gesicht zu meinem herunter und wiederholte mein sorgfältig ausformuliertes Anliegen: «Werter Herr, Sie machen einen Denkfehler; da stehen Kinder in der Schlange. Die warten, um das zu tun, was Sie gerade zu tun im Begriff waren, als ich Sie unterbrochen habe. Frage: Haben Sie diese Schlange nicht gesehen?»

Er warf einen Blick über seine Schulter: «Ahh, ich habe diese Schlange nicht gesehen.»

Ich erwiderte: «Erzählen Sie das Ihrer Mutter.»

Die Revolver waren geladen.

Dann sagte Dumpfbacke: «Lassen Sie mich los, Sie können normal mit mir sprechen.»

«Das nützt aber nichts, Sie hören mich nicht», sagte ich überdeutlich und mithilfe von Handzeichen.

Er riss sich wütend los, platzierte den Ball vor seinem Sohn und forderte ihn auf zu schießen.

FIGHT
FOR YOUR
RIGHT

Eine ganz unangenehme Situation, dachte ich.

Ich stellte mich vor den kleinen Jungen, breitbeinig, versteht sich, schaute ihn an, packte den Ball und ging wortlos weg. Absolute Stille.

Ich erwartete, dass sie von einem Schrei der Dumpfbacke zerrissen würde und dass er sich auf mich stürzen würde.

Nichts geschah.

Vater und Sohn trotteten wutschnaubend davon, ohne auch nur einen einzigen Schuss auf die Wand abgegeben zu haben. Offensichtlich hatte meine Einschüchterungstaktik gewirkt. Zum Glück sah niemand meine zitternden Knie.

Als ich an den Kindern der Reihe vorbeiging, sagte jedes ehrfürchtig danke. Sie wussten bis zu diesem Tag nicht, dass Superman tatsächlich existierte.

Meine beiden Söhne platzten vor Stolz: «Dad, du bist der Größte!»

Meine Frau meinte: «Musste das sein? Wegen einem Ball?»

Ich sagte zu ihr: «Schatz, es gibt Situationen, da bist du als Mann geboren, um einem Mann zu zeigen, dass du ein Mann bist. Und – unterschätze einen Ball nicht. Er ist wichtig. Für einen Mann zumindest. Ich weiß, das verstehst du nicht.»

In unserem Leben gibt es Momente, wo du dich hinstellen und kämpfen musst.

Für deine Familie.

Für deine Freunde.

Für deine Freundin.

Für deine Firma.

Für deine Kirche.

Du stehst auf, kämpfst wie ein Löwe und sagst: «Das ist mein Gebiet, mein Land, und niemand wagt es, hier einzudringen.»

Der Teufel hat nur eines im Sinn: Er kommt, um zu stehlen, zu vernichten und uns das Leben, das Gott uns gegeben hat, wegzunehmen.

Deshalb:
→ Setze dich ein für deine Kinder.
→ Setze dich ein für deinen besten Freund.
→ Setze dich ein für deinen Mann.
→ Setze dich ein für deine Verlobte.
→ Setze dich ein für deine Nachbarn.
→ Setze dich ein für Menschen in der Not.
→ Setze dich ein für ...

Beginne damit, die Stimme zu erheben für Menschen, die dich brauchen. Übernimm Verantwortung.

Wir sprechen oft davon, dass Eva den Apfel gegessen und dadurch Sünde ins Leben gebracht hat. Aber Adam hat vor Eva gesündigt.

> ***«Gott, der Herr, brachte also den Menschen in den Garten Eden. Er übertrug ihm die Aufgabe, den Garten zu pflegen und zu schützen.»***
> *— 1. Mose 2,15 (GNB)*

Wenn Adam den Garten Eden beschützte, wie konnte die Schlange dann in diesen Garten eindringen? Großes Fragezeichen.

Gott hat Adaminski und uns den Auftrag gegeben, die Dinge zu beschützen und zu bewahren, die er uns anvertraut hat.

Ein Löwe würde nie zulassen, dass du gemütlich in seinem Revier herumlatschst und ihn zutextest: «Oh, pardon me, ich wusste ja gar nicht, dass dies dein Gebiet ist! Ist ziemlich hübsch hier.»

Bevor du Luft für den ersten Buchstaben deines Vortrags geholt hast, bist du tot.

Damit dir das nicht passiert und du selber zu einer Person wirst, die andere verteidigt und für das eigene Gebiet kämpft, möchte ich folgende zwei Hauptgedanken aufwerfen.

NUTZE DIE KRAFT DER PROKLAMATION

Jabez beherrschte diese Kunst im Alten Testament wie kein Zweiter. Er proklamierte Gottes Güte über seinem Leben zu jeder Zeit. Sogar noch, wenn er schlief.

> ***«Aber Jabez betete zum Gott Israels: ‹Bitte segne mich, und lass mein Gebiet größer werden! Beschütze mich, und bewahre mich vor Unglück! Möge kein Leid mich treffen!› Gott erhörte sein Gebet.»*** — *1. Chronik 4,10 (Hfa)*

Die Worte, die wir aussprechen, haben in der sichtbaren und unsichtbaren Welt einen starken Einfluss.

Ich sage meiner Frau jeden Tag, dass sie die Crème de la Crème ist. Ich behaupte, das ist ein triftiger Grund, weshalb meine Frau täglich außergewöhnlich positiv ist.

PROKLAMIERE AM TAG GOTTES SCHUTZ

> ***«Gott steht mir bei, und niemand kann mir schaden.»*** — *Psalm 62,3 (Hfa)*

Um diesen Gedanken zu veranschaulichen, nehmen wir die Pinkelgewohnheiten des Löwen genauer unter die Lupe. Ja, auch der König der Tiere muss ab und zu Wasser lassen. Interessanterweise hat dieses Hobby auch einen praktischen Nutzen.

Der Löwe pinkelt entlang der Grenze seines ausgesuchten Reviers. Er läuft wie die Grenzwache die Strecke seines Gebiets ab und bewässert den Boden, was, um bei der Grenzwache zu bleiben, diese nur im äußersten Notfall tut.

Entlang des Gebietes seines Rudels hinterlässt der Löwe eine Linie von Warnzeichen für vorbeikommende Rivalen. Durchnässt mit seinen Pheromonen (Duft- und Botenstoffen) geben die Büsche ein klares Zeichen: Kein Zutritt für andere Männchen! Turn or burn! Etwa alle dreißig Meter wiederholt er diese Botschaft. Dies imprägniert seine Füße mit dem Geruch. Jeder Fußtritt legt eine Flamme um das Land des Rudels, das dort wohnt. Jeder der Brüder des Löwen hinterlässt Tausende von Geruchsspuren, jeden Tag. Die männlichen Löwen aus benachbarten Rudeln tun dasselbe. So teilen sie das Land in die verschiedenen Territorien auf.

Jeder Feind und jeder Gegner riecht, dass dieses Gebiet dem anderen Löwen gehört und tabu ist für ihn.

In die Sprache der Menschen übertragen, heißt markieren: Beten.

Steh frühmorgens auf und proklamiere: «Diese Familie und diese Kinder, dieses Haus und das Geld, meine Gesundheit, alles stelle ich unter den Segen Gottes. Ich lasse nicht zu, dass der Feind oder irgend jemand mir den Segen von Gott wegstiehlt.»

> ***«Das Gebet sollte unser Steuerrad und nicht unser Ersatzrad sein.»***
> *— Corrie Ten Boom*

Der Teufel will dein Gebiet verkleinern.

Gott will dein Gebiet vergrößern.

Das Gebet spielt dabei eine nicht zu unterschätzende Rolle.

«Ein Gebet von Mose, dem Mann Gottes. Herr, seit Generationen bist du unser Schutz!»
— Psalm 90,1 (NLB)

Deshalb: Segne deine Kids und die ganze Familie jeden Morgen. Gott ist der Beschützer. Es liegt in seiner Hand. Die Aufforderung, die an dich geht, lautet: Beten.

SCHLIESS DIE TÜRE

«Seid wachsam und nüchtern! Euer Feind, der Teufel, schleicht um die Herde wie ein hungriger Löwe. Er wartet nur darauf, dass er jemand von euch verschlingen kann.»
— 1. Petrus 5,8 (GNB)

Wenn du Land einnimmst für Jesus, gibt es manchmal offene Türen, durch die der Teufel nach Belieben reinspazieren kann. Beispiel gefällig?

Vor zwei Jahren erhielt ich extrem viele Bußen (Bußgelder, Strafzettel, Knöllchen, Tickets ...). In Deutschland fuhr ich mal siebzig Stundenkilometer zu schnell. In Deutschland, wo alle zu schnell fahren. 500 Euro! Jackpot. Einen Monat Fahrverbot. Es folgten Tickets im Land der unbegrenzten Möglichkeiten, Amerika, was mir die Grenzen des Speedlimits sehr schnell aufdeckte, und in der Schweiz. Eines nach dem anderen. Gut, ich mag mein Auto. Aber ich wusste auch ohne die vielen Fotos, wie toll es aussieht.

Irgendwann reichte es mir: «Jesus, ich proklamiere, dass die Bußen aufhören.»

Es wurde schlimmer.

Ich fragte Jesus: «Was mache ich falsch, du Herr auch über die Radaranlagen?»

Prompt meldete sich Jesus: «Ein Tipp, mein Lieber, benütze den Tempomaten, dann bist du auf der sicheren Seite.»

Gleichzeitig kam mir in den Sinn, dass ich im Frühjahr in Italien einer Frau versprochen hatte, ihr einen Geldbetrag zu überweisen. Ich zögerte die Einlösung meines Versprechens jedoch hinaus, indem ich mir Ausreden wie «kompliziert» und «Italien, da muss das Geld an Berlusconi vorbei» zurechtlegte. Ich dachte, ich sehe die Frau im Dezember wieder und würde es ihr dann cash in die Hände drücken.

Jesus meldete sich nun diesbezüglich unangemeldet: «Leo, du musst dieser Frau das Geld jetzt geben. Du hast eine Türe geöffnet, so dass der Geldfresser in dein Gebiet hineinspazieren und dir via Bußen Geld stehlen kann.»

Ich entschloss mich, das Geld hochkompliziert, über sieben Ecken, an der Post, der Bank und Berlusconi vorbei ins ferne Italien zu überweisen.

Noch in derselben Woche bekam ich von der Polizei Geld zurück, weil ich für eine Sache verwarnt worden war, die ich nicht verschuldet hatte. Jackpot, Baby!

Hast du jemals von der Polizei Geld zurückbekommen?

Ob du es glaubst oder nicht: Bis zum heutigen Tag habe ich keine Buße mehr einkassiert. Na ja. Praktisch keine.

PROKLAMIERE AM ABEND GOTTES GRÖSSE

«Mächtig wie das Brüllen eines Löwen erklingt die Stimme des Herrn aus der Höhe, wie Donnergrollen ertönt sie von dort, wo er, der heilige Gott, wohnt.» *— Jeremia 25,30(Hfa)*

Ein Löwe brüllt in erster Linie deshalb, weil er seine Umgebung über sein Territorium in Kenntnis setzen und es verteidigen will. Das kennen wir schon aus früheren Kapiteln. Ist aber in diesem Zusammenhang wieder von entscheidender Bedeutung.

Das Brüllen versetzt die Hyäne, den Erzfeind, in Angst und Schrecken. Und der Löwe hat alles getan, was in seinen Möglichkeiten steht.

Der Löwe haut sich nach seiner kleinen melodiösen Nachtmusik aufs Ohr und schläft friedlich ein, obwohl er weiß, dass die Feinde noch immer da sind. Er hat alles getan hat, was er tun konnte.

«Es ist vergeblich, vom frühen Morgen bis in die späte Nacht hart zu arbeiten, immer in Sorge, ob ihr genug zu essen habt, denn denen, die Gott lieben, gibt er es im Schlaf.»
— Psalm 127,2 (NLB)

Am Ende eines langen Tages sage ich zu Jesus: «Das war's für heute, alles erledigt, Chef. Aber jetzt mal unter uns: Gehört diese Kirche mir oder dir?»

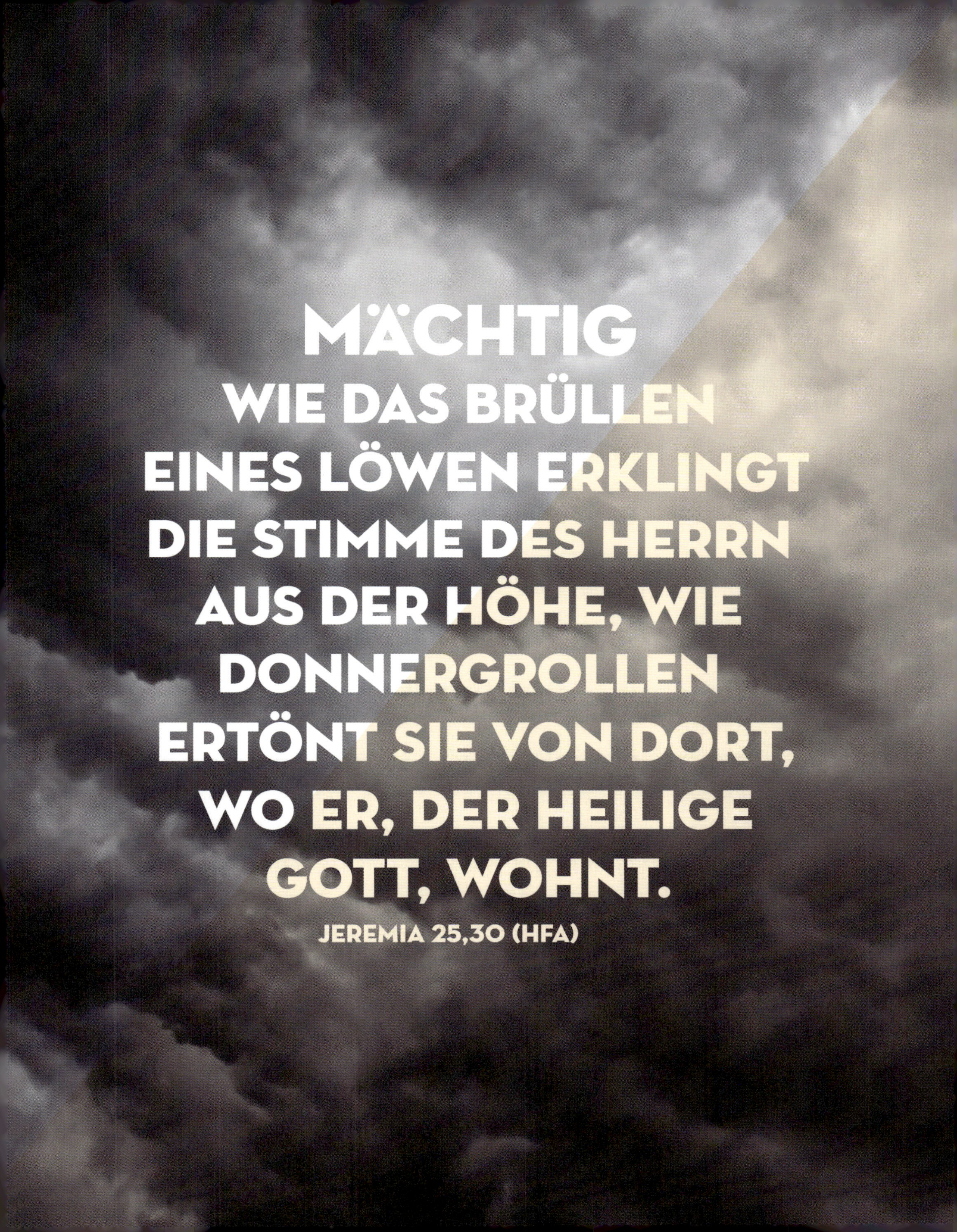
MÄCHTIG
WIE DAS BRÜLLEN
EINES LÖWEN ERKLINGT
DIE STIMME DES HERRN
AUS DER HÖHE, WIE
DONNERGROLLEN
ERTÖNT SIE VON DORT,
WO ER, DER HEILIGE
GOTT, WOHNT.
JEREMIA 25,30 (HFA)

WEIL DU, JUDA, DEN FEIND
IM NACKEN PACKST,
DARUM VEREHREN DICH
ALLE SÖHNE DEINES VATERS.
1. Mose 49,8 (NeÜ)

KÄMPFE IN SCHWIERIGEN ZEITEN FÜR DEINEN SIEG

Der Herr fragt dann zurück: «Was denkst du?»

Ich antworte: «Hmm … Dir, würde ich sagen. Schließlich nenne ich dich ab und zu Chef.»

«Du hast Recht», antwortet der Herr. «Sie gehört mir.»

Also sage ich: «Nun gut, Chef, dann ist es jetzt an der Zeit, dass du die Verantwortung übernimmst und das Ruder für diese Kirche in die Hand nimmst. Ich gehe nämlich jetzt schlafen. Gute Nacht! Wobei, das gilt ja dann vor allem für mich. Gutes Wachsein und bis morgen Früh!»

Ich lege ganz bewusst alles in Gottes Hände. Nicht nur die Kirche. Die Familie. Alle Beziehungen. Alle Ängste und Sorgen. Ich vertraue, dass Gott das Zepter für mein Leben in seiner Hand hält.

«Angst öffnet dem Teufel eine Tür – Glauben öffnet Gott eine Tür.»

Weshalb schreibe ich ein Buch über Löwen?

Die Bibel sagt, dass Jesus, nebst tausend anderen Sachen, ein Löwe ist.

***«[Jesus] ist der Löwe aus dem Stamm Juda, der Nachkomme König Davids.»** — Offenbarung 5,5 (Hfa)*

Weshalb ist Jesus ein Löwe aus dem Stamm Juda? Weshalb nicht aus dem Stamm Ruben, dem ältesten Sohn von Jakob? Oder dem Stamm Benjamin, dem jüngsten und beliebten Sohn Jakobs?

Den Grund serviert uns das 1. Buch Mose pfannenfertig.

***«Weil du [Juda] den Feind im Nacken packst! Dir beugen sich die Söhne deines Vaters.»** — 1. Mose 49,8(NeÜ)*

Der Stamm Juda pflegte seine Feinde aggressiv am Nacken zu packen und zu eliminieren.

Jesus packt den Teufel am Nacken: «Deine Zeit ist limitiert, sie läuft eines Tages ab, und in der Ewigkeit hast du keine Bedeutung mehr.»

Wir gehören zu einem Jesus, der uns gesagt hat, dass wir zu den Siegern gehören.

Es bedeutet, dass auch wir unsere Feinde im Nacken packen und eliminieren.

***«Auf diese Weise wurden die finsteren dämonischen Mächte entmachtet und in ihrer Ohnmacht bloßgestellt, als Christus über sie am Kreuz triumphierte.»** — Kolosser 2,15 (Hfa)*

Die größten Feinde der Löwen sind die Hyänen. Sie streifen auf der Suche nach leckeren Häppchen rudelweise umher und suchen nach einem abgesonderten kranken Löwen.

Wenn Hyänen ins Revier von Löwen eindringen, steht ein Löwe auf, greift sie an und erlegt eine Hyäne, als Warnung für die ganze Meute.

GEWINNE, INDEM DU ANGREIFST

***«Ihr habt es schwarz auf weiß, ihr jungen Leute: Ihr seid stark, denn das Wort Gottes ist in euch lebendig und ihr habt den Teufel besiegt!»** — 1. Johannes 2,14 (GNB)*

LUCY & VERA

Wenn feindliche Löwen kommen, greift der Alphalöwe diese sofort an und vertreibt sie. Wenn er nicht gegen sie vorgeht, töten diese zuerst die jungen Männchen, vertreiben anschließend den Alphalöwen und übernehmen das Rudel.

An dieser Stelle möchte ich ein kirchengeschichtlich hochkomplexes theologisches Thema aufgreifen.

Wir wurden als junge Menschen in der Kirche gelehrt: «Übergib deine Probleme Gott, er kämpft für dich.»

Diese Aussage bezweifle ich nicht. Gott kämpft auf unserer Seite. Das ist nach wie vor so sicher wie das Amen in der Kirche. Aber manchmal sagt Gott zu uns: «Nicht ich kämpfe für dich, sondern du stehst auf, und meine Kraft ist in und mit dir. Du kämpfst deine Schlacht.»

Entscheidend ist, dass du während des Kampfes eng mit Gott verbunden bist und bleibst.

«Mit Menschen, die Gott nicht loslassen, ist der Teufel überfordert!»

Lucy hat eine Tochter namens Vera. Vera absolviert eine Lehre und wird von ihrem Lehrmeister gemobbt, gedemütigt und schlecht behandelt. Die Mutter betet, dass Gott schenken möge, dass der Lehrmeister sein Verhalten verändere.

Doch die Situation im Geschäft eskaliert. Gott spricht zu Lucy: «Steh auf, geh zum Chef deiner Tochter und lies ihm die Leviten!»

Lucy antwortet: «Ich wurde aber gelehrt, dass Gott für mich kämpft.»

Gott meint: «Korrekt, meine Liebe, aber es ist nur die eine Seite der Medaille. Heute ist zur Abwechslung mal die andere dran. Heute stehst du auf und bläst dem Monsieur den Marsch.»

Lucy tut, wie ihr geheißen, und entert das Büro des Lehrmeisters: «Chef, Sie und ich haben ein großes Problem. Sie behandeln meine Tochter nicht, wie es einer jungen Dame gebührt. Sie haben eine Woche Zeit. Entweder es wird sehr schnell sehr viel besser, oder ich hetze Ihnen meinen Anwalt oder meinen Hund auf die Fersen. Sie dürfen dann auswählen.»

In der darauffolgenden Woche wird alles nur noch schlimmer. Lucy besucht das Lehrlingsgericht in St. Gallen.

Die Richter raten ihr: «Gnädige Frau, Sie können vor Gericht gehen. Sie lösen damit eine regelrechte Schlammschlacht aus. Die bringt niemandem was, Ihrer Tochter am allerwenigsten. Sie müssen es anders lösen.»

Lucy lässt sich umstimmen, steigt in den Zug und tritt auf direktem Weg ins Büro des Chefs: «Ich kündige der Firma per sofort, die Lehre meiner Tochter ist hiermit beendet. Zumindest bei Ihnen.» Sie dreht sich um und will gehen, sagt aber noch: «Ach ja, bevor ich es vergesse: Zur Abwechslung wünsche ich Ihnen heute keinen schönen Tag. Vielleicht morgen wieder, wenn sich meine Laune wieder gebessert hat.»

Sie nimmt die Tochter bei der Hand und geht mit ihr in eine Migros-Filiale. Dort erkundigt sie sich nach dem Filialleiter. Noch in der gleichen Woche wird ein Treffen arrangiert. Lucy sagt zu ihm: «Meine Tochter ist die beste Auszubildende, die es jemals gegeben hat. Ich habe sie soeben aus ihrer letzten Firma herausgeholt und biete Ihnen meine wunderbare Vera für eine Berufslehre an.» Der Filialleiter schlägt ein und stellt die Tochter an.

Weißt du, um wie viele Zentimeter Vera wuchs?!

Sie weiß: «Wenn es hart auf hart kommt, dann stellt sich meine Mutter wie eine Löwin vor die Menschen und sagt: ‹Bis hierher und nicht weiter!›»

the
Best Mum
Ever!

Oft sagt Gott: «Lass mich kämpfen!»

Aber manchmal sagt er auch: «Steh auf und kämpfe du! Ich bin bei dir.»

«Denn wir kämpfen nicht gegen Menschen. Wir kämpfen gegen unsichtbare Mächte und Gewalten, gegen die bösen Geister, die diese finstere Welt beherrschen.»
— Epheser 6,12 (GNB)

GEWINNE, INDEM DU GEDULDIG BLEIBST

«Ich habe euch Vollmacht über den Feind gegeben; ihr könnt unter Schlangen und Skorpionen umhergehen und sie zertreten. Nichts und niemand wird euch etwas anhaben können.»
— Lukas 10,19 (NLB)

Ein anderer großer Feind des Löwen ist die Speikobra.

Die Speikobra ist die tödlichste Gefahr für Löwenjunge. Ein bisschen von ihrem Gift (sie spritzt es durch ihre hohlen Zähne) macht sogar einen erwachsenen Löwen für immer blind. Der Löwe könnte denken, dass er sowieso größer und stärker ist als die Schlange. Wenn er so denkt, hat er sein Augenlicht bereits verloren – denn wenn er ihr zu nahe kommt, wird er durch das Gift erblinden. Es gilt, immer einen Sicherheitsabstand zu wahren.

Das heißt, wenn eine Schlange – ein Dämon, der Teufel – in dein Gebiet eindringt und du ihn angreifst, kann dies für dich tödlich ausgehen.

Es gibt zwei falsche Reaktionen auf einen solchen Angriff:

Minderwertigkeit

Die einen von uns fühlen sich minderwertig: «Ich habe nicht den Hauch einer Chance! Ich würde schon gerne kämpfen, aber es ist sinnlos, weil ich viel zu schwach bin.»

Überheblichkeit

Die andern von uns sagen: «Ich bin so stark; gegen mich hat keiner eine Chance.»

Beide Haltungen sind extrem gefährlich. Beide lassen Gott völlig außer Acht.

«Meine Waffen in diesem Kampf sind nicht die eines schwachen Menschen, sondern die mächtigen Waffen Gottes. Mit ihnen zerstöre ich feindliche Festungen: Ich bringe falsche Gedankengebäude zum Einsturz.»
— 2. Korinther 10,4 (GNB)

Der Teufel nimmt sich viel Zeit im Kampf gegen uns.

Er weiß, was wir mögen und was nicht.

Er kennt unsere Unsicherheiten, Schwächen und Ängste.

Er weiß, was uns am meisten auf den Wecker geht.

Er ist bereit, so viel Zeit wie nötig aufzubringen, um uns zu besiegen.

Was können wir vom Löwen in dieser Situation lernen?

Ein Löwe hält von der Speikobra einen respektablen Sicherheitsabstand.

Der Löwe bewegt sich nicht, schaut die Schlange an und sagt: «Schau, Schlange, ich gehe nicht weg aus meinem Gebiet. Es gehört mir; du hast dich verirrt. Und du wirst dich wieder davonschlängeln, wie du gekommen bist.»

Die richtige Reaktion:

Glaube und vertraue. Es ist nur eine Frage der Zeit, bis der Teufel aus deiner Familie, aus deinem Geld, aus deiner Gesundheit, aus deiner Kirche gehen wird, wenn du Gott beharrlich dein Vertrauen aussprichst.

Was will der Teufel? Dass wir unsicher und ungeduldig werden. Und aus der Unruhe heraus machen wir oft Fehler, auf die der Teufel wartet. Deshalb widerstehe ihm in Geduld.

«Uns aber hilft der Herr, unser Gott; er kämpft für uns!»
— 2. Chronik 32,8 (NLB)

In einem Zeitungsbericht war zu lesen, ich hätte meine Söhne gezwungen, Geld an ICF Zürich zu spenden. Als mein älterer Sohn Simon das las, sagte er zu mir: «Papi, das ist eine Lüge. Ich musste noch nie unter Elektroschock-Androhung Geld ins ICF tragen, ich habe es freiwillig getan. Papi, du musst das richtigstellen. Du nimmst jetzt einen Anwalt und verklagst den Journalisten. Das nennt man Verleumdung!» Simon war ziemlich wütend.

Es gibt Momente, wo du die Sache in die Hand nehmen musst. Diesmal jedoch mahnte mich Jesus: «Leo, Finger weg. Stell dich hin und sage dem Teufel: ‹Ich gestatte dir nicht, meinen Kindern den Glauben zu rauben, ebenso wenig wie die Finanzen dieser Kirche.›» Das erklärte ich Simon.

Die Story ging weiter.

Eine Weile später stand in einem Bericht in der Zeitung, wie viel ich pro Jahr verdiene. Ein Journalist hatte sich dafür extra die Mühe gemacht, die Zahl bei der Steuerbehörde in Erfahrung zu bringen, und hat sich anschließend darüber ereifert.

Am selben Tag wurde dazu in einer anderen Zeitung publiziert, wie viel ein Landeskirchenpfarrer und ein katholischer Pfarrer verdienen. Bis zu einer Viertelmillion in harter Schweizer Währung.

Ich verdiene keine hunderttausend Franken im Jahr.

Ich will niemandem zu nahe treten, aber ich spreche vor etwas mehr als bloß vor zwanzig Leuten jeden Sonntag, trage die Verantwortung für sechzig Angestellte und bin auch keine 25 mehr.

Als der besagte Artikel am selben Tag in der anderen Zeitung erschien, war er im Zusammenhang mit der Lohntabelle der landeskirchlichen Pfarrer die Lachnummer des Tages. Ich erhielt Dutzende von Briefen und E-Mails, sowohl von Christen als auch von Nichtchristen. Der Tenor: «Wir sind erstaunt, wie wenig du im Gegensatz zu anderen Pfarrern verdienst, vor allem wenn man dein Pensum bedenkt. Mein alter Schwan, wir meinten, du sahnst ab.»

Ich schrieb zurück: «Ja, das meinen viele. Nur weil ich ein Haus in Wallisellen besitze, heißt es noch lange nicht, dass wir es auch selber bezahlt haben. Meine Schwiegereltern haben es für uns gekauft. Sie sind allererste Sahne.»

Ich habe gelernt, manchmal den Pinguin rauszuhängen: Ich bleibe cool und lasse die Leute tratschen und diskutieren. Jeder braucht schließlich ein Hobby. Und manchmal mach ich den Schnabel auf. Wie der Pinguin.

Da kommt ein Mann zu mir und sagt: «Leo, ich bezahle meinen Zehnten nicht mehr ins ICF, du fährst einen Lexus.»

Ich: «Lexus? Ich fahre einen Mazda. Hey, ist aber mein Fehler. Ich muss wieder mal eine Predigtreihe über die Gabe der Unterscheidung durchführen.»

Zu meinen Söhnen habe ich gesagt: «Schaut, manchmal lohnt es sich, einfach nur dazustehen, während sich die halbe Schweiz, die zum Glück nicht so groß ist, eine Meinung über deinen Lohn und dein Auto bildet. Die Meinung stimmt hinten und vorne nicht. Dann schaust du den Leuten, den Journalisten oder wem auch immer in die Augen und denkst: ‹Ich bewege mich keinen Meter, sondern DU wirst dich bewegen. Das sagt auch der Pinguin. Zum Eisberg.›»

Es braucht Geduld, wenn Menschen Unwahres oder Ungerechtes über dich erzählen. Das ist richtig hart. Aber es ist die Art der Pinguine. Und die sind richtig cool.

GEWINNE, INDEM DU BESCHÜTZT

Zwei Feinde kommen von außen – die Hyäne und die Speikobra. Aber die schlimmste Gefahr droht den Löwen von innen.

Wenn eine Löwenmutter merkt, dass im Rudel Eifersucht herrscht, dass Streit und Missgunst aufkommen, wird sie beim Alpha-Löwen vorstellig und fordert ihn heraus, den Streit zu schlichten und die Einheit zu bewahren.

Weißt du, weshalb so viele Kirchen kraftlos sind? Weil hintenherum negativ über den Pfarrer, den Worship-Leiter oder die Frau Seelsorgerin getratscht wird. Der Geist der Uneinigkeit macht es sich gemütlich.

Die Speikobra und die Hyänen, die Dämonen und der Teufel werden arbeitslos: «Uns braucht es nicht mehr, die machen sich selber kaputt.»

Es gibt Momente, wo du dich als Vater oder Mutter, als Sohn oder Tochter vor deine Familie oder als Pfarrer vor deine Kirche stellen und sagen musst: «Jetzt ist's genug!»

Eine solche Situation spielte sich bei uns zu Hause ab. Es hatte den ganzen Tag geregnet. Das schlug

bei meiner Frau aufs Gemüt. Sie jammerte unermüdlich über alles, was mich veranlasste, Folgendes zu sagen: «Liebling, ich wusste bis auf den heutigen Tag nicht, dass du auf den Namen Bello hörst. Du bellst wie ein Hund vom Morgen bis zum Abend.»

Meine Frau ließ das nicht auf sich sitzen: «Ich bin kein Hund!»

Ich erwiderte: «Ich weiß, meine Teure. Ist nur eine Metapher, um dir zu erklären, dass ich das Gejammer bald nicht mehr hören kann. Bell noch einmal richtig laut, lass es raus, werde rot und wütend! Aber nur noch eine Minute, bitte.»

Nach einer Minute nahm ich das Zepter in die Hand: «Familie, das war's. Wir entscheiden uns jetzt, dass wir einen bombastischen freien Tag haben. Wir spielen jetzt alle zusammen Indianer und führen einen Regentanz auf. Und der funktioniert dann auch, denn es regnet schon. Taraaaa!»

Manchmal musst du aufstehen und sagen: «Jetzt ist genug gejammert, es reicht!» Dies sagt übrigens meine Frau auch dann und wann zu mir. Letztes Mal war einfach ich an der Reihe.

BESCHÜTZE DICH SELBER

«Wie kommt es, dass du den Splitter im Auge deines Bruders siehst, aber den Balken in deinem eigenen Auge nicht bemerkst?»
— Matthäus 7,3 (NGÜ)

Ich möchte euch eine der wichtigsten Storys in der Geschichte unserer Kirche erzählen.

Mein Team und ich waren sehr jung. Ich kam aus einer katholischen Kirche, die anderen kamen aus evangelischen Kirchen. In den ersten drei ICF-Jahren erlebten wir ein großes Wachstum bezüglich der Kirchenbesucher. Jedes Jahr verdoppelten wir uns, hatten aber keine Ahnung, warum.

Ich wurde zu einem Kongress mit 10.000 Teilnehmern eingeladen, um unser Kirchenwachstum zu erklären. Ich sagte den Verantwortlichen, dass ich nicht kommen könnte, weil ich keinen Plan hätte, aufgrund dessen wir so wuchsen.

Sie dachten, ich nehme sie auf den Arm. Nachdem ich ihnen versicherte, dass uns jegliche Struktur und Strategie fehlen würde, sie uns aber gerne Bescheid sagen dürften, falls sie bei uns etwas in der Art finden würden, nahmen sie meine Absage dankend zur Kenntnis.

Kurze Zeit später waren wir mit dem Leitungsteam zum Wandern in den Schweizer Bergen. Auf unserem Weg kamen wir an einer traditionsreichen Bibelschule vorbei.

«Lasst uns hineingehen und mit den Leuten über zeitgemäße Kirche diskutieren», schlugen einige Übermütige aus der Gruppe vor. Ich wollte sie davon abhalten, scheiterte aber. Ich hatte noch nicht die Autorität, mich durchzusetzen.

Fünf Leiter von ICF gingen trotz meiner Bedenken in die Bibelschule hinein und trafen das Leiterehepaar. Was folgte, war ein unschönes Gespräch. Vorwürfe auf beiden Seiten, die in einem großen Streit mündeten.

Ich konfrontierte meine Leute nach diesem Vorfall: «Warum habt ihr das getan? Ihr musstet doch wissen, was passieren würde.»

Als wir beim Abendbrot saßen, sprach der Heilige Geist klar zu mir: «Leo, das Herz deiner Leiter und auch dein eigenes stinken zum Himmel. Deine Motivation, Kirche zu bauen, ist falsch. Jetzt ziehe ich eine Grenze. Entweder bekennst du dich schuldig und legst deinen Stolz ab, oder ich werde deine Kirche dichtmachen wie Noahs Arche.»

Ich nahm den Disput auf: «Wirklich? Aber wir sind am Wachsen, wir wurden zu einem gigantischen Kongress eingeladen, damit du's weißt!»

Der Heilige Geist nahm ebenfalls Fahrt auf: «Der Kongress interessiert mich nicht im Geringsten. Ihr, und mit euch eure Herzen, seid von den Kirchen, in denen ihr aufgewachsen seid, verletzt worden. Ihr seid ein Haufen von verletzten Leitern im Kindergartenalter. Ihr seid rebellisch. Ihr wollt der Welt beweisen, dass ihr Kirche besser macht als alle anderen. Ehrlich gesagt, andere haben mich da weit mehr beeindruckt. Das Kirchen-Rad habt auch ihr nicht neu erfunden. Das war Jesus. Von dem hast du schon gehört, oder? Ach übrigens, noch was: Unter den Christen hab ich den Wettbewerb vor 2000 Jahren abgeschafft. Theoretisch zumindest.»

Ich nahm meine Frau zur Seite: «Schatz, wir haben ein großes Problem.»

Schatz: «Was denn?»

Ich: «Den Heiligen Geist.»

Schatz: «Seit wann ist der ein Problem?»

Ich: «Er nicht. Er hat eines. Uns. Wir sind sein Problem.»

Daraus folgte eine lange Diskussion mit meiner Frau.

An jenem Abend stellte ich in der Mitte des Raumes ein großes Kreuz auf.

Ich bereitete das Abendmahl vor.

Nie werde ich diesen Moment vergessen.

Ich sagte: «Liebe Leiter, was ihr heute Nachmittag getan habt, ist vor Gott nicht richtig. Ich habe euch gewarnt, dass ihr nicht dorthin gehen sollt. Der Heilige Geist hat mir vorhin eindeutig zu verstehen gegeben, dass unser Herz falsch gepolt ist. Unsere Motivation ist eine Katastrophe. Warum geht es uns bei dem, was wir tun, nur darum, zu beweisen, dass wir besser Kirche machen?»

Stille breitete sich aus.

Und nach einer Weile Körper.

Wir lagen alle flach vor dem Kreuz. Mit dem Gesicht auf dem Boden taten wir Buße. Ich werde es nie vergessen.

Es dauerte Stunden.

Wir haben viel geweint.

Wir haben zu Gott geschrien.

Wir sprachen mit ihm über all unsere Verletzungen.

Um Mitternacht nahmen wir das Abendmahl ein. Ich forderte: «Meine Lieben, wir müssen einen Strich ziehen. Wir können nicht mit derselben Herzenshaltung weitermachen. Wir lassen uns nicht mehr von einem verletzten und rebellischen Geist führen. Von jetzt an wird uns der Heilige Geist mit göttlicher Kraft antreiben.»

Ein großer Wendepunkt in der Geschichte unserer Kirche.

Unser Herz müssen wir immer und immer wieder prüfen, weil es die Neigung hat, sich zu verhärten.

Erlaube keiner Situation, keiner Person, keinem Dämon, schon gar nicht dem Teufel, dass sie dein Herz verhärten.

Wenn wir diese Einstellung haben, dann werden wir wie Juda das Zepter in der Hand behalten und das, was wir von Gott erhalten haben, vergrößern.

«Mein Sohn, du bist wie ein junger Löwe, der gerade seine Beute gerissen hat. Majestätisch legt er sich daneben, und niemand wagt es, ihn zu stören. Juda, immer behältst du das Zepter in der Hand. Könige gehen aus deinem Stamm hervor – bis ein großer Herrscher kommt, dem alle Völker dienen.»
— 1. Mose 49,9–10 (Hfa)

«NICHT DAS BEGINNEN WIRD BELOHNT,
SONDERN EINZIG UND ALLEIN DAS DURCHHALTEN.»

Katherina von Siena

KAPITEL 7

AUTHENTISCH LEBEN

Quak!

ALLES, WAS LÖWEN TUN, IST JEDERZEIT FÜR JEDES MITGLIED IM RUDEL SICHTBAR. SIE HABEN NICHTS ZU VERSTECKEN. LÖWEN LEBEN TAGSÜBER IM LICHT UND JAGEN NACHTS IM DUNKELN.

Wenn die Löwin nicht auf der Jagd ist, hat sie keinen Grund, sich im Schatten zu bewegen. Sie lebt im Licht. Sie kommt mit ihren Schwestern zusammen und führt ihr Leben in den offenen, lichtdurchfluteten Weiten der afrikanischen Ebene. Dort, in einer Gegend ohne Schatten, ruhen und spielen sie. Sie pflegen gegenseitig ihr Fell, füttern und unterweisen ihre Jungen und paaren sich sogar in aller Öffentlichkeit. Aber warum sollte eine Löwin sich auch wegen irgendetwas schämen oder verstecken müssen? In ihrer Welt gibt es keinen Feind, der mutig oder stark genug wäre, den offenen Kampf mit ihnen aufzunehmen. Sie schrecken vor niemandem zurück.

«Wie ein Löwe legt Israel sich nieder und liegt da wie eine Löwin; wer wagt es, Israel aufzustören?» *— 4. Mose 24,9 (NLB)*

Wenn wir ein Leben ohne Geheimnisse leben, werden wir majestätisch und kraftvoll durchs Leben gehen. Wenn wir uns aber entscheiden, mit ihnen zu leben, kann es dir wie dem 9-jährigen Sam ergehen.

Der 9-jährige Sam besuchte den großen Bauernhof seiner Großeltern. Er liebte es, dort mit seiner Steinschleuder in den Wäldern herumzuspazieren. Er versuchte, Steine, Flaschen und Dosen gegen die Bäume und einzelne Äste zu schleudern, traf aber nicht oft. Weißt du, Sam arbeitete immer noch an seiner Genauigkeit.

Eines Abends, nach einem Tag im Wald, hörte er die Glocke zum Nachtessen läuten. Als Sam auf das Haus zuging, entdeckte er die Lieblingsente seiner Großmutter, wie sie am Teich entlangspazierte. Er hätte sich nie im Leben träumen lassen, dass er die Ente treffen würde, aber einfach so zum Spaß zog er die Schleuder auf und ließ den Gummi fliegen. Ob du es glaubst oder nicht, der Stein traf die Ente voll am Kopf. Sie fiel tot um, ohne auch nur ein letztes Quaken von sich zu geben.

Sam war schockiert. Er hatte noch nie etwas getroffen, worauf er bewusst gezielt hatte. Er fühlte sich schrecklich.

In Panik geraten, lief er zur toten Ente und brachte sie hinter die Scheune, wo er sie unter einem Holzhaufen beerdigte. Auf dem Weg zurück zum Haus fühlte sich Sam immer noch schrecklich, als er seine 12-jährige Schwester Julie entdeckte und realisierte, dass sie die ganze elende Geschichte mitbekommen hatte.

An diesem Abend nach dem Nachtessen sagte ihre Großmutter: «Julie, ich möchte gerne, dass du bleibst und mir beim Abwasch hilfst, wenn es dir nichts ausmacht.»

«Großmutter», antwortete sie, «ich würde gerne, aber Sam hat gesagt, dass er heute Abend gerne den Abwasch machen möchte.»

Als sie auf dem Weg nach draußen an Sam vorbeiging, flüsterte sie in sein Ohr: «Vergiss die Ente nicht.»

Sam sah sich in die Enge getrieben und ging hinüber, um den Abwasch zu machen.

Am nächsten Morgen lud der Großvater Sam und Julie zu einem Angelausflug ein, aber seine Frau hatte andere Pläne.

«Ich brauche Julie unbedingt hier, um mir bei ein paar Hausarbeiten zu helfen», sagte die Großmutter.

Julie entgegnete: «Großmutter, Sam hat gesagt, dass er gerne hierbleiben und dir heute helfen würde.»

Und wieder ging seine Schwester an Sam vorbei und murmelte: «Vergiss die Ente nicht.»

Sam erledigte die Hausarbeiten. Julie ging angeln.

Nach ein paar anstrengenden Tagen, an denen er Julies und seine eigenen Hausarbeiten erledigt hatte, hatte Sam genug. Er beichtete.

«Großmutter, es tut mir so leid. Ich hatte nicht vor, deine Ente zu töten, aber es ist passiert.»

Seine gütige Großmutter umarmte ihn ganz fest. «Sammie, ich weiß, was geschehen ist», sagte sie. «Ich stand am Fenster und habe zugeschaut, wie das Ganze passiert ist. Ich habe gesehen, wie schockiert du warst, und ich habe dir bereits vergeben. Ich habe nur abgewartet, um zu sehen, wie lange du Julie erlauben würdest, dich als Sklaven zu behandeln.»

(Joel Osteen: «Every Day a Friday, Nashville: Faith Words, 2011, Seite 85.)

Sams Großmutter stand nicht alleine am Fenster. Gott stand genau neben ihr. Er sieht jeden Fehler, jedes Versagen, jede Schwäche. Die gute Nachricht ist, dass auch er dir vergeben hat. Er hält nichts gegen dich. Er wartet nur ab, um zu sehen, wie lange du dem Ankläger erlaubst, aus dir einen Sklaven zu machen.

Wenn der Löwe sich tagsüber im Licht aufhält und unbeschwert lebt, hat er nachts für die Jagd gelernt, scharf und klar zu sehen.

Auf diese beiden Gedanken möchte ich in diesem Kapitel näher eingehen: Was bedeutet es, im Licht zu leben und in der Nacht zu jagen?

LÖWEN LEBEN IM LICHT: AUTHENTISCHES LEBEN

Löwen besitzen keine Zimmer mit Türen, die man schließen kann. Ihr Leben ist öffentlich. Sie essen öffentlich, sie streiten öffentlich, sie paaren sich öffentlich.

Wir Menschen hingegen tun Dinge gern im Versteckten. Im Falle des Beischlafs kann ich das gut nachvollziehen. Schwierig wird es dann, wenn wir im Verborgenen Sünden begehen. Denn das lähmt.

«Ein unredlicher Mensch ergreift die Flucht, obwohl niemand ihn verfolgt; der redliche fühlt sich sicher wie ein Löwe.» — *Sprüche 28,1 (GNB)*

Widmen wir uns in der Folge dem alltäglichen Löwenleben, um von ihm authentisches Leben zu lernen. Ein Leben geprägt von Freiheit und ohne schlechtes Gewissen.

AUTHENTISCH LEBEN - OHNE SCHAM

Ein Löwe kennt kein Schamgefühl. Wenn eine Löwenfrau ihre Beute angreift und sie dabei scheitert, bleibt sie cool. Sie vertuscht ihren Misserfolg nicht. Alle können sehen, dass sie einen Fehler gemacht hat.

Wenn wir Menschen hingegen Fehler begehen, dann haben wir …

- → Angst, dass alles einmal herauskommt.
- → Angst, von Menschen abgelehnt zu werden.
- → Angst, dass alles auf uns zurückfällt.
- → Angst, dass sich Gott an uns rächen wird.

Löwen haben keine Zeigefinger. Deshalb zeigen sie damit auch nicht auf fehlbare Artgenossen. Viel lieber setzen sie ihre Zunge ein. Eine andere Löwin geht zur gescheiterten Artgenossin hin und leckt sie mit der Zunge ab. Sie gibt ihr dadurch zu verstehen, dass alles halb so schlimm ist, sie nach wie vor zum Rudel gehört und dass es das nächste Mal wieder besser klappen wird. Kopf hoch, die Dame!

Wenn die fehlbare Löwin dann wegläuft, verwischt sie interessanterweise mit ihrem Schwanz die Angriffsspuren, die bezeugen, dass sie versagt hat.

Weshalb verwischt sie diese Spuren?

Um sich selber klar zu machen, dass die Sache gegessen ist.

Jesus sagt: «Ich habe dir vergeben, dieses Thema ist erledigt.» Das muss der Mönch in der folgenden Geschichte noch lernen.

„DU WIRST MIT UNS ERBARMEN HABEN UND ALLE UNSERE SCHULD WEGSCHAFFEN; DU WIRST SIE IN DAS MEER WERFEN, DORT, WO ES AM TIEFSTEN IST.“

Micha 7,19 (Gute Nachricht)

Während ihrer Wanderschaft trafen zwei Mönche auf eine wunderschöne Frau, die alleine nicht über einen Fluss mit starker Strömung kommen konnte. Als die Frau die Mönche um Hilfe bat, nahm einer der beiden, ohne zu zögern, die Frau auf seine Schultern und trug sie ans andere Ufer. Schweigend wanderten sie weiter.

Nach einer ganzen Weile kritisierte der eine Mönch den anderen: «Wir haben ein Gelübde getan, dass wir keine Frau anfassen. Wie konntest du sie einfach auf deine Schultern setzen?»

Der andere antwortete daraufhin: «Ich habe die Frau vor einer Stunde am Ufer abgesetzt. Aber du trägst sie offensichtlich immer noch mit dir herum.»

(Ardeschyr Hagmaier: «Ente oder Adler», GABAL-Verlag, 2006, Seite 39.)

Manchmal fällt es uns schwer, uns selber zu vergeben.

Aber dass wir uns selber vergeben können, bedeutet, bildlich gesprochen, dass wir mit dem Schwanz alles wegwischen, was wir im Leben falsch gemacht haben, und sagen: «Meine Spur des Versagens ist ausgelöscht, ich kann neu beginnen.»

Ist das nicht großartig?!

Gott holt nie wieder etwas hervor. Daran sollten auch wir uns halten. Du wirst es eh nicht schaffen, an die tiefste Stelle des Meeres zu tauchen. Wir reden von 11.000 Metern. Also versuch es erst gar nicht.

AUTHENTISCH LEBEN OHNE ENTTÄUSCHUNGEN

Ein typisches Merkmal der Löwen ist die Mähne.

Es dauert fünf Jahre, bis sie ausgewachsen ist. Sie dient dem Männchen bei Kämpfen als Schutz gegen Prankenhiebe. Und da sich Ladies nicht prügeln, lässt sich erklären, warum Weibchen keine Mähne haben. Oder vielleicht gehen sie einfach gerne ab und zu zum Friseur.

Auf jeden Fall wäre eine Mähne bei der Jagd und der Aufzucht der Jungen hinderlich.

Zurück zum Männchen. Der Löwe fängt also mit seiner Mähne die Prankenhiebe wie mit einem Schutzschild auf. Aber bis die 80er-Rock-Mähne so weit gewachsen ist, muss der Löwe in seinem jungen Leben einige Wunden und Rückschläge hinnehmen. Trotz dieser Wunden wächst eine prächtige Mähne. Aus dem Minus wird ein Plus.

So arbeitet Gott auch an uns Menschen. Er schaut, dass wir aus Rückschlägen gestärkt herauskommen. Er macht aus jedem Minus ein Plus. Das ist Gnade. Wenn wir sie zulassen.

Viele Frauen und Männer werden verletzt und lassen ihre Zukunft von Enttäuschungen statt von der Gnade Gottes prägen. Auch ich kenne Enttäuschungen und Verletzungen in meinem Leben. Ich habe gelernt, sie positiv zu nutzen.

Ich erzähle euch drei Geschichten, die mich bis zum heutigen Tag negativ hätten prägen können.

Vor vielen Jahren hielt ich auf dem Bürkliplatz in Zürich eine feurige Predigt. Ich hatte einen Stuhl dabei und darauf mein Predigtmanuskript abgelegt, an das ich mich krampfhaft klammerte – von einer Predigt frisch von der Leber weg konnte damals nicht die Rede sein.

Das Unheil nahte in Form eines Windstoßes. Er fegte in einem unachtsamen Moment meinerseits alle meine Blätter weg. Au Backe! Ich verlor den roten Faden, der sich frühzeitig in den Feierabend verabschiedete. Mir fehlten die Worte mangels fehlendem Manuskript. Ich stammelte noch ein wenig vor mich hin. Alle Frauen und Männer lachten. Die ganze Sache endete für mich unrühmlich und mit hochrotem Kopf.

Ich war verletzt und enttäuscht: «Wie kannst du, Gott im Himmel, zulassen, dass der Wind meine heiligen Notizblätter wegbläst?»

Noch auf dem Bürkliplatz, dem Ort der Niederlage, schwor ich mir: «Ich hab zwar eine Schlacht verloren, aber nicht den Krieg. Von nun an werde ich nur noch oben ohne predigen. Oben auf der Bühne – ohne Notizen.»

Heute predige ich mithilfe der Leber, frei wie ein Vogel.

Jesus hat aus jener damaligen Verletzung die Stärke bewirkt, dass ich heute frei sprechen kann. Das ist Gnade.

Vor vielen Jahren war ich mit einer christlichen Musikgruppe unterwegs. Als Bestandteil des Programms hielt ich eine Predigt. Feurig. Versteht sich.

In Stendal füllte sich der Saal mit 1000 Zuhörern. Wir waren hochmotiviert. Die Band begann zu spielen. Als das erste Mal das Wort «Jesus» erklang, verließen 200 Zuhörer den Saal. Noch 800 kleine Jägermeister. Beim ersten Zeugnis des Abends standen weitere 200 auf. Noch 600 kleine Jägermeister. Nach dem zweiten Zeugnis war der Saal wieder um 200 Personen ärmer. Als ich zu predigen anfing, waren noch 400 kleine Jägermeister übrig.

Am Ende meiner Predigt forderte ich die Menschen im Saal auf, ihr Leben Jesus zu übergeben. Ich konnte sie an einer Hand abzählen.

Nach dem Konzert meinten einige Mitglieder der Musikgruppe: «Leo, deine Predigt war so schlecht, dass viele den Saal verlassen haben.»

Ich sagte: «Vielen Dank für die Information. Dafür war ja eure Vorlage umso berauschender.»

Die Stimmung war so gut wie auf dem Oktoberfest, am Tag danach.

In Stendal hätte ich sagen können: «Ich werde nie mehr eine Bühne betreten. Gott hat mir die Gabe gegeben, Stadien zu leeren, aber nicht die Gnade, sie zu füllen.»

Doch Jesus hat aus meiner Verletzung eine Stärke bewirkt. Ich habe an jenem Tag jegliche Menschenfurcht verloren. Das ist Gnade.

Das schlimmste Erlebnis ereignete sich erst kürzlich, auf der Worship-Tour mit der ICF-Zürich-Band.

Im Vorfeld bat ich unser Produktionsteam: «Lasst uns eine Predigt kreieren, wie sie die Welt noch nie gesehen hat – eine multimediale spektakuläre Message zu Mose, Pharao und den Fröschen. Ich predige vor einer riesigen Leinwand, während hintendran Frösche durchs Bild hüpfen und tausend andere Sachen abgehen. Auf der Tournee muss das Timing perfekt sein, und die Frösche müssen punktgenau über die Leinwand flitzen. Das kriegen wir hin!»

Die Begeisterung war groß. Die Produktion und die Proben gestalteten sich äußerst erfolgreich.

Wir trafen in der Halle ein. Der erste Stopp der Worship-Tour. Die Premiere. Zweieinhalbtausend Teenager waren gekommen. Es durfte einfach nichts schieflaufen. Ich hatte mir jedes einzelne Wort eingeprägt, jede Bewegung einstudiert. Alles tausend Mal geprobt. Satz, peng, Bild, peng, Bewegung, peng, Stichwort, peng, Bild, peng!

Alle sagten vorher: «Wow, das wird eine Sensation! Dafür kriegst du den Predigt-Award.»

Ich begann mit der Predigt. Es lief wie am Schnürchen. Ich hatte die Teens im Sack.

Leider die Frösche nicht. Nach vier Minuten stürzte der Computer ab. Und ich mit ihm. In ein schwarzes Loch.

Meine ganze Predigt war eine einzige Geschichte, die allein auf dieser multimedialen Präsentation aufbaute und ohne Leinwand überhaupt nicht funktionierte.

Ich bin nicht so schnell sprachlos. Ich kann immer sprechen, mit oder ohne Inhalt. Das habe ich von meiner Mutter gelernt.

Diesmal nicht. Der Computer hatte geschafft, was vor ihm noch kein Mensch geschafft hatte.

Ich war sprachlos – vor zweieinhalbtausend Teenagern. Ich sehnte die Entrückung herbei. Doch nicht nur die Frösche ließen mich an diesem Tag hängen, auch Gott. Dachte ich zumindest.

Ich kann mich an keinen Moment in meinem Leben erinnern, wo ich so gebrochen, so enttäuscht, so verletzt, so entblößt hinter der Bühne saß. Ich konnte diese Situation kaum ertragen.

Nach der ersten Enttäuschung begann ich meinem Frust freien Lauf zu lassen. Ich fluchte. Christlich, versteht sich. Dave, unser Worship-Leiter, traute seinen Ohren nicht und musste sie an diesem Abend zweimal waschen. Er hatte mich noch nie so erlebt.

ABEL
HENO
NOAH
SARA
ISAAK
JAKOB
JOSEF
MOSE
ABRAH
RAHA
GIDEO
BARAK
SIMSO
JEFTA
DAVID
SAMU

«Deshalb greift zu allen Waffen, die Gott für euch bereithält! Wenn dann der Tag kommt, an dem die Mächte des Bösen angreifen, seid ihr gerüstet und könnt euch ihnen entgegenstellen. Ihr werdet erfolgreich kämpfen und am Ende als Sieger dastehen. Stellt euch also entschlossen zum Kampf auf! […] Zusätzlich zu all dem ergreift den Schild des Glaubens [die Mähne des Löwen, die Gnade des Herrn], mit dem ihr jeden Brandpfeil [Wunden sind wie Brandpfeile, sie schmerzen] unschädlich machen könnt, den der Böse gegen euch abschießt.»

Epheser 6,13–16 (NGÜ)

An diesem Abend hätte ich mir sagen können: «Leo, hör auf mit deinen Bildern, mit Multimedia und LED-Wand. Predige einfach. Du, die Bibel und der Heilige Geist, that's it. Den ganzen Rest kannst du knicken.»

Jesus hat an diesem Abend aus meiner Verletzung die Stärke bewirkt, dass ich spontaner wurde. Das ist Gnade.

Ich predige heute mehr denn je mit der Hilfe von Multimedia-Technik, lasse mich aber nicht mehr aus dem Konzept bringen, wenn etwas nicht klappt. Ich habe gelernt, spontan darauf zu reagieren.

Solche Schläge kannst du in deiner Ehe, in deiner Freundschaft und auch in allen anderen Bereichen erleben. Die Frage ist lediglich, wie du darauf reagierst.

Denn der Teufel setzt alles daran, uns zu verletzen.

Wie kannst du im Licht leben?

Indem du deine Zukunft nicht durch Rückschläge und Wunden prägen lässt, sondern die Waffen Gottes ergreifst.

Unzählige Männer und Frauen, die an Gott glaubten, haben das erlebt. In der Bibel, im elften Kapitel des Briefes an die Hebräer, befindet sich eine ganze Liste von Menschen, die glaubten, dass Gott in schwierigsten Situationen Unglaubliches bewirken kann.

Noah zum Beispiel legte sich auf nichts fest, er war für alles offen, und so konnte er mit Gott eine Arche bauen. Seine Zeitgenossen spotteten über das große Schiff, das weit entfernt von allen Meeren in den Himmel ragte. Dieser Spott war ein äußerst schmerzhafter Schlag ins Gesicht. Aber Noah ließ sich nicht beeindrucken, und er war mit seiner Familie der Einzige, der die Sintflut überlebte.

AUTHENTISCH LEBEN – OHNE SCHULD

Die Löwen leben in engster Gemeinschaft. Sie lieben es, alles gemeinsam zu tun, unbeschwert zu spielen und herumzutollen. Sie schauen sich in die Augen. Nichts kann sie je trennen.

Wenn du in deinem Leben eine Sünde versteckst, kann man das an deinen Augen erkennen. Die Augen können nicht lügen. Sie leuchten, oder sie sind matt.

Sünde zerstört immer Beziehung und Freundschaft – mit Gott und mit Menschen. Das ist und bleibt oberstes Ziel des Satans.

«Denn wir kennen die Absichten Satans nur zu genau und wissen, wie er uns zu Fall bringen möchte. Aber das soll ihm nicht gelingen.»
— 2. Korinther 2,11 (Hfa)

Schauen wir bei Adam und Eva, wie der Teufel vorgeht.

«Eva wurde durch die klugen Lügen der Schlange verführt.»
— 2. Korinther 11,3 (GNB)

Sünde beginnt mit einer Sehnsucht. Eva denkt: «Diese Frucht, die ich nicht essen darf, die hätt ich so gerne!»

Der Teufel sagt zu dir: «Das hast du verdient. Du solltest das jetzt haben. Es wird aufregend. Du wirst dich besser fühlen.»

Die Versuchung lauert nicht um uns herum, sondern in uns drin. Denn wenn wir keine Sehnsucht hätten, könnte uns die Versuchung nicht angreifen. Versuchung beginnt immer in den Gedanken, nicht in den Umständen.

Auf die Sehnsucht folgt der Zweifel: Der Teufel fragt Eva: «Bist du sicher, dass Gott dir verboten hat, von der Frucht zu essen?»

Der Teufel versucht uns dazu zu bringen, anzuzweifeln, was Gott über Sünde sagt: «Ist es wirklich falsch? Meinte Gott mit diesem Verbot nicht jemand anderen, oder bezieht es sich vielleicht auf einen anderen Zeitpunkt? Möchte Gott denn nicht, dass ich glücklich bin?»

Der Teufel will täuschen. Er sagt zu Eva: «Wenn du von dieser Frucht isst, wird Gott dich doch nicht fallen lassen, schließlich bist du seine Tochter. Gott verstößt dich doch nicht wegen einer Frucht. Am Ende werden alle errettet, alle kommen in den Himmel, alle bekommen einen Freipass.»

Der Teufel ist unfähig, die Wahrheit zu sagen, deshalb wird er der Vater der Lüge genannt (Johannes 8,44). Alles, was er erzählt, ist unwahr oder höchstens halb wahr. Der Teufel sagt: «Du wirst nicht sterben. Du wirst weiser sein als Gott. Du kommst damit durch. Niemand wird je davon erfahren. Das wird dein Problem lösen. Und überhaupt: Jeder tut das.»

Aus der Täuschung entsteht Ungehorsam: Eva isst die Frucht.

Die Reaktion von Adam und Eva ist der Klassiker schlechthin. Sie verstecken sich vor Gott hinter einem Baum. Für Gott ist es nicht wahnsinnig schwierig, sie da zu finden, weil sie vor Scham kilometerweit rot leuchten.

Wenn wir in unserem Leben sündigen, ist es oft so, dass wir es verstecken – vor dem Mann, vor der Frau, vor den Freunden, vor der Smallgroup. Damit ja niemand etwas merkt.

Gott sagt zu Adam: «Weshalb versteckst du dich? Weshalb lässt du zu, dass Sünde unsere Freundschaft zerstört?»

Sünde und sich selber hinterher zu verstecken, lohnt sich nie. Früher oder später fliegt es auf. Und wenn nicht, nagt es an unserem schlechten Gewissen. Das musste auch Giovanni erfahren.

Giovanni verlegt am Freitagnachmittag einen Teppich. Plötzlich entdeckt er eine Erhöhung im Teppich: «Oh, Giovanni, stupido, weshalb hast du die Zigarettenpackung unter dem Teppich liegen lassen?» Aber es ist Freitag, 16 Uhr, Feierabendzeit. Er will nach Hause zu Maria. Er geht zur Stelle hin und stampft so lange auf die Zigarettenpackung, bis die Erhöhung keine mehr ist.

SÜNDE
BEGINNT
MIT
EINER
SEHNSUCHT.

Die Hausbesitzerin kommt nach Hause und lobt Giovanni: «Gute Arbeit! Möchten Sie einen Kaffee?»

«Si, grazie!»

Die Frau bringt den Kaffee und meint zu Giovanni: «Übrigens, du hast in der Küche deine Zigarettenpackung vergessen. Weißt du, wo mein Hamster ist?»

Wir sind Weltmeister darin, Sünden unter den Teppich zu kehren. Genau das will der Teufel. Er will um jeden Preis unsere Freundschaft mit Gott, mit Jesus, mit dem Heiligen Geist und mit unseren Nächsten zerstören.

Denn aus dem Inneren, aus dem Herzen der Menschen, kommen Gedanken, die böse sind – Unzucht, Diebstahl, Mord, Ehebruch, Habgier, Bosheit, Hinterlist, Zügellosigkeit, Missgunst, Verleumdung, Überheblichkeit und Unvernunft. *—Markus 7,21–22 (Hfa)*

James McPherson, der die Geschichte des Bürgerkriegs untersuchte, schreibt von einem Plantagenbesitzer namens James Hammond, der Kongressmitglied und Gouverneur war. Außerdem war er unersättlich ehrgeizig, ein glühender Verfechter der Sklaverei und hatte große sexuelle Begierden.

Im Jahr 1839 erwarb er eine achtzehnjährige Sklavin namens Sally und deren Tochter Louisa. Er machte Sally zu seiner Konkubine und zeugte mehrere Kinder mit ihr. Als Louisa schließlich zwölf Jahre alt war, musste sie die Rolle der Konkubine übernehmen. Auch mit ihr zeugte er mehrere Kinder.

Seine politische Karriere wurde gebremst, als sein Schwager, Wade Hamilton, ihm androhte, öffentlich bekannt zu machen, dass Hammond die vier Töchter Hamiltons, die dreizehn bis achtzehn Jahre alt waren, sexuell missbraucht hatte.

Doch noch bemerkenswerter sind die Tagebucheinträge Hammonds, nachdem ihn seine Frau verlassen und eine Epidemie einem Großteil seiner Sklaven und seines Viehs (was für ihn zur selben Kategorie gehörte) das Leben gekostet hatte: «Es ist niederschmetternd zu sehen, wie alles um mich herum vernichtet wird. Neger, Kühe, Esel, Schweine, alles Leben um mich herum scheint unter einem schicksalhaften Fluch zu leiden ... Großer Gott, was habe ich getan? Nie war ein Mann so verflucht ... Was habe ich getan oder unterlassen, dass ich dieses Schicksal verdiene? ... Keiner, nicht einer übt auch nur die leiseste Nachsicht mir gegenüber. Nichts wird übersehen, nichts vergeben.»

(James McPherson: «Drawn with the Sword», Cary: Oxford University Press USA, 1996.)

Wir können die ganze Welt, ja sogar uns selber anlügen, um Schmerzen zu vermeiden. Aber am Ende hat Sünde eine unermessliche Konsequenz, die jede Form von Freundschaft und Beziehung zerstört, sei es mit Gott oder Menschen. Deshalb bring sie ans Licht. Bekenne sie vor Gott und den Menschen. Heute noch. Am besten gleich.

LÖWEN JAGEN IN DER DUNKELHEIT: ICH LEBE MIT EINER VISION!

Löwen können im Dunkeln sehen.

Bei völliger Dunkelheit ist ein Löwe genauso blind wie du und ich. Doch wenn nur der schwächste Lichtschein die Dunkelheit durchbricht, wird er eingefangen und zum Sehen genutzt. Selbst der Mondschein oder die stecknadelkopfgroßen Lichter der fernen Sterne erlauben dem Löwen, in der Nacht zu sehen.

Das Licht, mit dessen Hilfe sie sehen, kommt gewissermaßen mehr aus ihren eigenen Augen als von ihrer Umgebung. Das ist der Grund, warum Katzenaugen manchmal im Dunkeln leuchten. Sie sammeln und reflektieren alles Licht, das ihnen zur Verfügung steht. Die Kraft der Vision, um zu sehen, hat sich der Löwe antrainiert.

Wie müssen uns diese Fähigkeit auch aneignen. Weil unsere Welt immer dunkler wird, steht uns nur ein Minimum an Umgebungslicht zur Verfügung. Es ist an der Zeit, dass wir die Lichtquelle in uns selbst stärker werden lassen und uns konzentrieren.

Wenn du in deinem Leben in einer Situation bist, wo du nur dunkel siehst und nicht weißt, wo links und rechts ist, dann brauchst du den Funken eines Bibelverses. Du liest ihn, denkst darüber nach, und er spricht zu dir. Du schließt deine Augen, und aus diesem einen Vers entstehen Leben und Hoffnung. Im größten Sturm beginnst du die Wunder von Jesus zu sehen und zu visualisieren.

Dies ist eine Fähigkeit, die wie beim Löwen nicht grundsätzlich vorhanden ist. Du musst sie antrainieren. Übung macht den Meister.

«Mein Sohn, du bist wie ein junger Löwe, der gerade seine Beute gerissen hat. Majestätisch legt er sich daneben, und niemand wagt es, ihn zu stören. Juda, immer behältst du das Zepter in der Hand. Könige gehen aus deinem Stamm hervor – bis ein großer Herrscher kommt, dem alle Völker dienen.»

— 1. Mose 49,9–10 (Hfa)

ENTDECKE GOTTES KRAFT IM VISUALISIEREN

«Noch war die Erde leer und ohne Leben, von Wassermassen bedeckt. Finsternis herrschte, aber über dem Wasser schwebte der Geist Gottes. Da sprach Gott: ‹Licht soll entstehen!›, und es wurde hell.»

— 1. Mose 1,2–3 (Hfa)

Gott selbst musste sich, als er die Erde schuf, die Dinge vorstellen, bevor er sie in die Realität umsetzte. Und er gab unserem Urahnen Adam und uns den Auftrag, ebenfalls visionär schöpferisch und planerisch tätig zu sein.

Gott möchte durch uns neue Ideen in diese Welt bringen. Er möchte, dass wir lernen, sie sozusagen plastisch vor uns zu sehen und dann auch in die Realität umzusetzen.

Mein Name erinnert mich täglich daran, dass ich groß denken soll. Immer wieder sagt mir Jesus:

be
BRAVE

and think

BIGGER

WIE SOLL DEIN LEBEN AUSSEHEN, WENN DU 80 BIST?

?

Jesus möchte mir noch so viel mehr geben, als er es bis jetzt getan hat. Und er möchte dasselbe auch bei dir tun. Limitiere dein Denken nicht mit dem, was du als Realität betrachtest. Fang vielmehr an, größere Dinge von Gott zu erwarten.

Je mehr du deine bisherige Froschperspektive verlässt und dich für eine Adlerperspektive entscheidest, desto schneller wirst du erleben können, wie diejenigen Träume, die Gott selber in dich hineingelegt hat, Wirklichkeit werden. Darum bete ich immer wieder für mein eigenes Leben so, wie Elisa es für seinen Diener getan hat:

«Und er betete: ‹Herr, öffne ihm die Augen und lass ihn sehen.›»
— 2. Könige 6,17 (NLB)

Als Walt Disney und seine Frau Kinder kriegten, hat er sich darüber geärgert, dass es keinen Spielplatz gab, der allen, von klein bis groß, Freude bereitet. Wie konnte es sein, dass sich nur die Kinder beim Schaukeln freuen durften, aber die Erwachsenen gelangweilt rumstehen mussten?

Er stellte sich einen Park vor, in dem alle, vom Kind bis zur Großmutter, spielen können. Er schloss seine Augen und überlegte sich, was ein Kind, ein Teenager, ein Erwachsener und ein Senior brauchen würden, um Spaß zu haben, und entwickelte in seinem Geist das Disneyland. Anschließend zeichnete er aus dem Nichts die Pläne für das Disneyland.

Dann suchte er sich ein Stück Land in Florida, einem Ort, wo es das ganze Jahr warm war und man sich draußen aufhalten konnte. Er kaufte sich das Land und ließ wenig später die Bagger auffahren.

Bevor der Park fertiggestellt war, verstarb Disney.

Am Eröffnungstag des Walt Disney World Resorts in Orlando sagte ein Journalist zu Disneys Witwe: «Es ist so schade, dass Ihr

EINE CRÈMESCHNITTE IST AUCH «GUT».

Mann diesen Park nicht sehen kann; ich glaube, er wäre bewegt von seiner Schönheit.» – Seine Frau erwiderte: «Sie liegen falsch, mein Mann hat den Park gesehen, bevor ihn jemand anderes gesehen hat. Vor seinem inneren Auge.»

Ich frage dich heute:

- → Wie soll dein Leben aussehen, wenn du achtzig bist?
- → Wie soll deine Familie sein?

Vielleicht sagst du: «Ich träume von einer Familie, in der wir es gut haben. «Gut» ist aber noch keine Vision; eine Crèmeschnitte ist auch «gut».

Aber was heißt «gut»? Werde konkreter.

- → Wie soll dein Mann sein?
- → Wie sollen deine Kinder sein?
- → Wie soll euer Umgang miteinander sein?

Bevor ich heiratete, schloss ich meine Augen und überlegte mir, wie meine Familie sein sollte, wenn ich achtzig bin. Welches Gefühl, welches Bild wünsche ich mir?

Weshalb ist das so wichtig?

Wenn du nicht weißt, wohin du gehst, spielt es auch keine Rolle, welchen Weg du gehst, weil dich kein Weg ans Ziel führt.

Auf einem Blatt Papier schrieb ich auf, wie meine Frau sein sollte, wenn sie achtzig ist. Nicht, wie sie aussehen sollte, weil sie eh immer mein Babe sein wird, sondern vielmehr, was sie bewegen würde, was wir gemeinsam tun würden.

Weiter notierte ich mir, wie ich mir meine Söhne vorstelle, ihre Ehefrauen und ihre Kinder.

Ich stellte mir vor, wie unsere Kirche sich weiterentwickelt.

Ich schrieb mir alles auf. Alles.

Dieses Papier halte ich unter Verschluss. Es ist eine Sache zwischen mir und meinem Gott.

„Die meisten überschätzen, was man in einem Jahr bewirken kann. Doch unterschätze nicht, was man in 15 Jahren bewirken kann."

Von Zeit zu Zeit hole ich es hervor, um mir bewusst zu machen: Dahin gehe ich. Das ist der Plan. Das ist mein Ziel.

Solange ich rein lebe und Gott mit mir ist, werde ich es erreichen.

«Was ich dir in dieser Vision sage, das schreibe in deutlicher Schrift auf Tafeln! Jeder soll es lesen können. Denn was ich dir jetzt offenbare, wird nicht sofort eintreffen, sondern erst zur festgesetzten Zeit. Es wird sich ganz bestimmt erfüllen, darauf kannst du dich verlassen. Warte geduldig, selbst wenn es noch eine Weile dauert!»

— Habakuk 2,2–3 (Hfa)

Als Yonggi Cho in Seoul geboren wurde, gab es in Korea praktisch keine Christen. Als junger Christ überlegte er sich: «Wenn ich eine Kirche gründe, wie groß soll diese Kirche werden?» Er visualisierte eine Kirche mit 5000 Gottesdienstbesuchern.

Dann startete er die Kirche. In den ersten Jahren besuchten 300 bis 400 Leute den Gottesdienst. Jeden Sonntag predigte er mit geschlossenen Augen vor den Zuhörern. Nicht etwa, weil ihm die Besucher nicht gefielen. Nein, er wollte nicht, dass die Realität seinen Glauben prägte. Er stellte sich immer vor, zu fünftausend Frauen und Männern in einem großen Auditorium zu sprechen. Dabei wurde er zwangsläufig manchmal sehr laut. Ich bewundere diese hartgesottene Truppe

von 400 Männern und Frauen, die sich Woche für Woche über Jahre hinweg von jemandem anschreien ließen, von dem sie noch nicht mal wussten, was für eine Augenfarbe er hatte. Gut, er war Asiate. Das war für sie nicht schwer zu erraten.

Cho visualisierte die ganze Zeit die Kirche mit den 5000 Besuchern und predigte auch genauso und glaubte und sammelte Geld.

Heute predigt Yonggi Cho vor einer Million Gottesdienstbesuchern. Er ist Pastor der größten Kirche der Welt. Er lebte eine große Vision.

Schau, die Rechnung ist einfach:

→ Hältst du Gott einen Fingerhut hin, wird er dir einen Fingerhut füllen. Es geschehe gemäß deinem Glauben.
→ Hältst du Gott einen Becher hin, wird er dir den Becher füllen.
→ Hältst du Gott einen Eimer hin, wird er dir den Eimer füllen.
→ Hältst du Gott eine Wanne hin, wird er dir die Wanne füllen. Es geschehe gemäß deinem Glauben.

Du kannst in der Dimension eines Fingerhutes oder einer Badewanne denken. Ich empfehle dir, wie Cho die größere Variante zu wählen, denn es wird dein Leben groß machen. Das wünsche ich dir.

Und dann nimm dir genügend Zeit, gleich im Anschluss an dieses Kapitel, deinen Traum zu visualisieren, zu planen und dafür zu beten.

Die blinde Autorin Helen Keller wurde einmal gefragt: «Was ist schlimmer, als blind geboren zu sein?» Ihre geistesgegenwärtige Antwort traf den Nagel auf den Kopf: «Sehen zu können, jedoch ohne Vision zu leben.»

— *Helen Keller*

Ich möchte, dass du dir Folgendes vorstellst: Nehmen wir an, du könntest dir alles wünschen, und Gott würde dafür sorgen, dass dir jedes Vorhaben gelingen würde. Für was würdest du in so einem Fall leben?

Du stehst hier vor der wichtigsten Frage deines Lebens. Denn die Antwort, die du darauf gibst, offenbart dir gleichzeitig die tiefsten Wahrheiten deines Herzens. An was glaubst du wirklich?

Die Bibel sagt, dass es ohne Glauben unmöglich ist, Gott zu gefallen. Andererseits lehrt sie, dass wir letztlich das erleben werden, was wir geglaubt haben. Denn was du glaubst, wirst du auch aussprechen. Du wirst für das beten, woran du glaubst, dass es eintreffen kann. Deine Pläne, die du im Leben schmiedest, offenbaren ebenfalls deinen Glauben und das, was dir persönlich wichtig scheint. All deine täglichen Gedanken sind eine Offenbarung dessen, was sich wirklich zutiefst in deinem Herzen abspielt.

Wenn wir einen kleinen Glauben haben, dann werden auch die Resultate entsprechend gering ausfallen. Wenn wir aber mutig sind und von unserem Gott auch Wunder erwarten, so werden wir diese – sobald die Zeit dafür reif ist – tatsächlich erleben.

KAPITEL 8

EHRE UND RESPEKT ERWEISEN

Unsere Familie pflegt zu Essenszeiten ein Ritual: Wir setzen uns alle zu Tisch, reichen uns die Hände und singen ein hübsches kleines Tischlied. Ein wenig schief, ein wenig «old school», aber es funktioniert. Das Essen schmeckt immer doppelt so gut. – Ganz anders die Löwen: Sie essen weniger sozialkompetent. Innerhalb des Löwenrudels herrscht eine klare Fressordnung.

1. Zuerst ist der Alpha-Löwe an der Reihe. Er krallt sich die besten Stücke. Und das, man staune, ohne Missgunst des Pöbels. Die anderen Löwen bringen damit zum Ausdruck: «Vater, wir danken dir, dass du uns beschützt!»

2. Wenn Papa sich den Ranzen vollgeschlagen hat, sind die Mütter an der Reihe. Die Kids schauen ihnen brav zu: «Mamis, wir danken euch, dass ihr für uns jagt, kocht, putzt und spült.»

3. Zum Schluss kommen die Jungen. In Ehrfurcht und Respekt vor ihren Eltern haben sie so lange gewartet.

Löwen leben in einer natürlichen Ehre- und Respektkultur.

> ***«Wie ein Löwe legt Israel sich nieder und liegt da wie eine Löwin; wer wagt es, Israel aufzustören? Gesegnet ist, wer dich segnet, und verflucht ist, wer dich verflucht.»***
> *— 4. Mose 24,9(NLB)*

Diese Kultur des Ehrens und Respektierens wünscht sich Gott auch für uns Menschen. Wir waren in den USA in den Ferien und konnten die Olympischen Spiele in London aus der Sicht der Amerikaner mitverfolgen.

Amerikaner schreiben Ehre und Respekt groß.

Ich verfolgte das US-Kunstturn-Team. Die üben eine Sportart aus, die ich sonst nicht einmal mit der linken Pobacke anschaue, weil da kein Ball traktiert wird. Aber was ich sah, faszinierte mich. Die Spitzenathletin hatte ihre ganze Familie mitgebracht, die von der Kamera bei jedem Sprung eingefangen wurde. Vater und Mutter waren immer voll dabei und ganz aus dem Häuschen: «Go, daughter, go!» Die Eltern ehrten ihre Tochter unaufhörlich mit ihrer unfassbaren Unterstützung.

Weiter beobachtete ich, dass praktisch jeder Athlet in jedem Interview voller Rührung dasselbe sagte: «Ich danke meinen Eltern, dass sie mich unterstützt haben. Ich danke meiner Trainerin für all ihre Geduld. Und ich danke Amerika, dass ich für die größte Nation dieser Erde einlaufen darf!»

Dann widmete sich das Fernsehen einem Athleten, der im

WE LOVE ROGER!

Halbfinale eines Laufwettbewerbs ausgeschieden war. Vor laufender Kamera wurde er gefragt, wie er sich fühle: «Ich habe für diesen Moment zwei Jahre lang trainiert, sechs Tage die Woche. Während zweier Jahre war ich nie im Kino oder bei McDonald's. Ich habe keinen Schluck Alkohol getrunken. – Es ist für mich das Höchste der Gefühle, für Amerika laufen zu dürfen. Ich bereue nichts.» Die Amerikaner im Stadion schwangen dazu frenetisch ihre Flaggen und winkten ihm begeistert zu.

Sie haben es sich angeeignet, Ehrung und Würdigung zu leben. Egal, ob du im Halbfinale ausscheidest, du bist ein Held. Das Einlaufen ins Olympiastadion alleine bedeutet, dass du der großartigste Athlet bist, den die Welt jemals gesehen hat. Das glauben sowohl der Athlet selber als auch das amerikanische Volk.

Zufälligerweise las ich am selben Tag den «Blick», das Schweizer Boulevard-Blatt. Es ging um die Niederlage von Roger Federer im Tennis-Finale: «Roger plattgemacht! Verloren!» Die Online-Kommentatoren bliesen alle ins gleiche Horn. Alle waren enttäuscht und sahen Roger als Verlierer und Versager: «Lieber tot als Zweiter.»

Ich fuhr den Computer herunter. Ich schämte mich, ein Schweizer zu sein. Ich schien der einzige Eidgenosse auf der ganzen Welt zu sein, der sich über die Silbermedaille freute.

Nicht ganz. Roger Federer selbst freute sich wie ein kleiner Junge über seinen zweiten Platz. Ich beantrage für ihn und mich eine «Green Card» für die USA.

Ehre und Respekt fristen in vielen anderen Ländern ein Schattendasein. Nur die Nummer 1 ist gut genug. Der Rest existiert nicht.

Und das ist höchst tragisch. Denn wenn wir nicht lernen, Ehre und Respekt zu erweisen, werden wir die Wunder Jesu in unserem Leben und in unseren Familien nicht sehen. Lies selber:

«Da sagte Jesus zu ihnen: ‹Ein Prophet wird überall verehrt, nur nicht in seiner eigenen Heimatstadt, von seinen Verwandten und von seiner eigenen Familie.› Weil sie nicht an ihn glaubten, konnte er keine Wunder bei ihnen tun, und er legte nur einigen Kranken die Hände auf und heilte sie.» — *Markus 6,4–5 (NLB)*

EHRE UND RESPEKTIERE AUTORITÄTEN, DENN SIE BESCHÜTZEN DICH

Ehre heißt im Hebräischen «kawod». «Kawod» bedeutet: «Gewicht haben». Ehren heißt also, jemandem das Gewicht verleihen, das ihm gebührt. Ich möchte in der Folge über vier Bereiche sprechen, in denen Jesus uns auffordert, jemandem dieses Gewicht zu verleihen.

EHRE UND RESPEKTIERE DEN STAAT, IN WELCHEM DU LEBST

«Gebt jedem, was ihr ihm schuldig seid: Bezahlt eure Steuern genauso wie den Zoll und erweist allen Achtung und Ehre, denen dies zusteht.»
— Römer 13,7 (NLB)

Die einen sagen jetzt: «Bibel, mach mal halblang. Ich soll die Schweizer Bundesräte, die sieben Zwerge, die hinter den sieben Bergen leben und keine Ahnung vom Leben haben, ehren?»

Die Bibel sagt: «Ou ja, Schneewittchen! Bete für deine Regierung, damit du ein friedliches Leben führen kannst.»

Wann hast du zum letzten Mal für deine Regierung gebetet? Wenn du jetzt länger als drei Sekunden darüber nachdenken musst, wird es höchste Eisenbahn, den Gebetsofen anzuheizen und loszufahren. Huuuuuuup!

Der große David motiviert uns höchstpersönlich, staatliche Autorität zu ehren.

Als Saul König von Israel war, war er auf David eifersüchtig, weil das Volk ihn liebte. Saul versuchte, David einen Kopf kürzer zu machen. David flüchtete in eine Höhle. Eines Tages musste Saul mal für kleine Jungs – ausgerechnet vor Davids Versteck. David hätte ihn mit links ins Jenseits befördern können. Doch der Junge war clever: «Es würde mir nicht in den Sinn kommen, den Gesalbten Gottes anzutasten. Denn wenn ich Saul umbringe, habe ich ein Problem mit meinem Gott im Himmel.» David betrachtete Saul als Gesalbten Gottes, den Gott ein- und absetzt und dem deshalb Ehre gebührt.

Nebukadnezar, der babylonische König, der die Israeliten besiegte, gab den Befehl, dass alle Männer und Frauen vor einer Götzenstatue niederknien sollen. Drei gottesfürchtige Männer, in der Gefangenschaft in Schadrach, Meschach und Abed-Nego umgetauft, beugten ihre Knie nicht. Und das nicht, weil sie keine Knieschoner dabeihatten, sondern weil sie Gott mehr fürchteten als die Menschen. Trotz allem bezeichneten sie in dieser Situation den gottlosen Nebukadnezar noch immer als ihren König. Man muss Autorität nicht mehr gehorsam sein, wenn sie verlangt, gegen ein göttliches Prinzip zu verstoßen. Aber als Menschen kann man sie via Gott noch immer ehren, denn er hat sie geschaffen und eingesetzt.

Auch wenn deine Regierung unperfekt ist, betrachte sie als Frauen und Männer, die von Gott geschaffen und eingesetzt wurden. Falte die Hände und schließe sie in deine Gebete ein.

EHRE UND RESPEKTIERE DEINE PASTOREN UND LEITER

«Die Ältesten, die gut vorstehen, sollen doppelter Ehre gewürdigt werden, besonders die in Wort und Lehre arbeiten.»
— 1. Timotheus 5,17 (ELB)

Das fällt uns doppelt schwer. Wir sollen doch Jesus direkt ehren und nicht die Menschen, die ihm dienen.

Ich möchte dich mitnehmen in mein bescheidenes Pfarrer-Leben.

In dem Moment, wo du mich als «Leo» betrachtest, siehst du meine Fehler und Schwächen, von denen man tatsächlich ein paar findet. Zu meinem eigenen Erstaunen. Gewisse Aussagen von mir ärgern dich; Fehler, die ich immer wieder begehe, nerven dich (aber vor allem nerven sie meine Frau).

Oder aber du schaust mich als einen Mann Gottes an, durch den Gott zu dir sprechen möchte. Eine letzte Alternative habe ich noch im Köcher. Du suchst dir den perfekten Pastor.

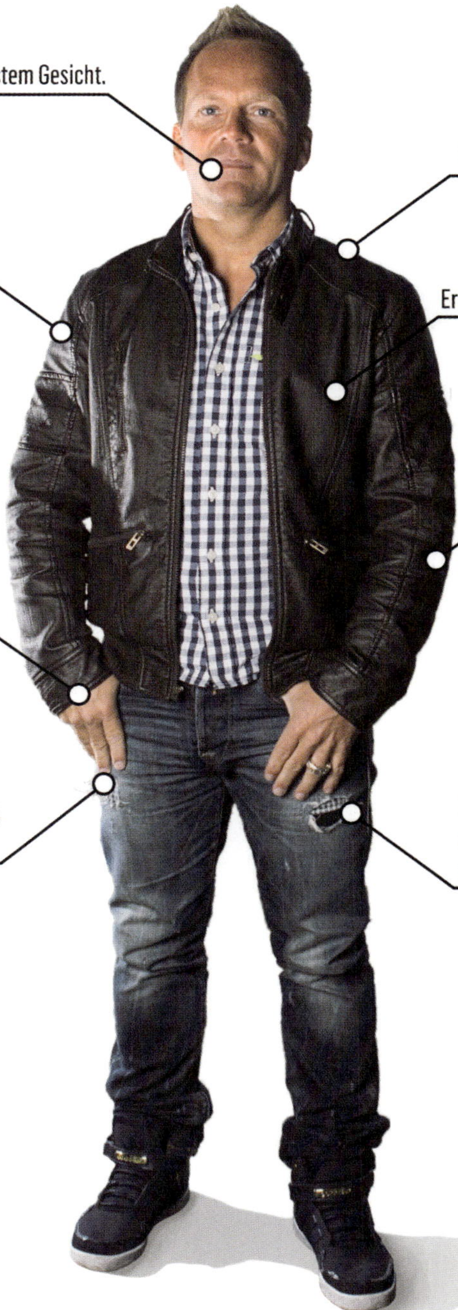

Ich wünsche dir und mir viel Glück auf der Suche nach Pastor Perfect, wenn nicht mal Jesus den Menschen genügte.

«Ein edler Charakter ist noch immer die beste Visitenkarte.»

Weshalb konnte Jesus in seiner Heimatstadt keine «Tricks» vorführen?

Die Menschen tuschelten: «Ah ja, Jesus, den kennen wir, der war schon als Junge verrückt. Haute der doch seinen Eltern in Jerusalem einfach ab!»

Nicht, dass ich es mit Jesus aufnehmen könnte, nein, aber wenn du Gott nicht die Chance gibst, durch deinen Pfarrer zu dir zu reden, könntest du genau wie die Menschen in Nazareth eine ganze Menge verpassen.

In unserer Kirche haben wir den «20er», einen Gottesdienst für junge Erwachsene am Freitagabend. Vor ein paar Jahren hat das Leitungsteam des «20er» unserer Familie Geld für Ferien geschenkt: «Schau, Leo, es ist einfach, dich zu kritisieren, und es ist auch einfach, dir für deinen Job danke zu sagen. Wir wissen, du magst Ferien. Wir haben Geld zusammengelegt, damit du mit deiner Familie in Sharm el-Sheikh Nemo die Flossen schütteln kannst. Wir lieben und ehren dich.»

Dies hat mich tief berührt.

Solche Momente sind für einen Pastor wichtig, und ich mache dir Mut, nicht alles für selbstverständlich zu halten, was deine geistlichen Leiter tun. Lass dich inspirieren von den Leuten aus dem «20er».

EHRE UND RESPEKTIERE DEINE MENTOREN UND VORBILDER

«Spornt euch gegenseitig zu Liebe und zu guten Taten an.»
— Hebräer 10,24 (NLB)

Wir alle brauchen Vorbilder, wenn wir unser Leben nicht verschlafen wollen. Sie inspirieren uns und fordern uns heraus, große Träume zu haben, Risiken einzugehen und scheinbar unüberwindbare Barrieren zu durchbrechen.

Jahrelang wusste jeder Mensch auf dieser Erde, dass es unmöglich ist, eine Meile unter vier Minuten zu laufen. Bis eines Tages Roger Bannister die 4-Minuten-Barriere durchbrach. Von dem Tag an glaubten plötzlich einige Läufer, dass es möglich sei, und nur wenige Monate später waren es schon über zehn Läufer, die eine Meile unter vier Minuten gelaufen sind. Heute lacht man über die 4-Minuten-Barriere. Und alles nur, weil ein Vorbild zuerst mal die Hoffnung der anderen Läufer weckte.

Genauso ist es auch beim 50-Kilometer-Marsch in der Schweizer Armee, den jedes Greenhorn absolvieren muss. Die Rekruten wissen: Vor uns haben es Tausende geschafft, also werden wir es auch irgendwie schaffen. Und immer wenn einen Rekruten das Gefühl beschleicht, dass er keinen Fuß mehr vor den andern bringt, erinnert er sich: Tausende kamen auch an den Punkt, dass sie aufgeben wollten, aber danach wurde es besser, und sie haben den Marsch durchgestanden. Aus Buben wurden Männer. Die Schweizer Armee macht's möglich. Und Ovomaltine.

Mentoren und Vorbilder können enorme Kräfte und einen großen Glauben freisetzen.

Meine Frau und ich haben in einem Ehepaar Mentoren gefunden, die uns seit über zwanzig Jahren begleiten. Sie gingen mit uns durch zwei äußerst heikle Phasen.

In den Gründungsjahren von ICF erlebten wir drei Kirchenspaltungen. Theologisch wussten wir nicht, in welche Richtung wir uns entwickeln sollten. Woher auch? Wir hatten die Erfahrung eines zweijährigen Pharisäerjungen. Es herrschte theologisches Tohuwabohu in unserer Kirche.

Nach der letzten Spaltung entschieden wir uns, unserer Kirche einen neuen Anstrich zu verpassen und den Namen ICF (International Christian Fellowship) zu ändern. Wir veranstalteten einen Wettbewerb in der Kirche, wie ICF in Zukunft heißen sollte. International Chicken Farm machte das Rennen nicht. Wegen meiner Frau.

Wir entschieden uns für einen der vorgeschlagenen Namen. Wir erfragten dazu die Meinung unseres Mentoren-Ehepaars: «Ihr Lieben, Gott kann aus dem Minus ein Plus machen. Jesus kann euren Namen, mit dem ihr die Spaltungen und eure Verletzungen verbindet, reinigen. Ändert den Namen ‹ICF› nicht, denn in ein paar Jahren wird dieser Name Sinn ergeben. Er ist prophetisch.»

Heute macht unser Name mehr als Sinn. Unterdessen hosten wir nicht nur jeden Sonntag anderssprachige Celebrations, sondern sind in ganz Europa mit Kirchen vertreten und mit der Online Church sogar weltweit tätig. Fehlt uns nur noch eine Location auf dem Mars.

Als Zweites setzten meiner Frau und mir die negative Berichterstattung über ICF am Anfang übel zu. All die unwahren Geschichten über ICF, unsere Familie und den Hamster, den es gar nicht gab, rissen ein schwarzes Loch in unsere sensiblen Seelen.

Mein Mentor nahm mich in dieser Situation zur Brust: «Leo, lass dich nicht wild machen. Jesus kann aus jedem Minus ein Plus werden lassen.»

Ich bin ihm so dankbar für diesen Satz, den er immer wieder einbrachte wie ein Schweizer Uhrwerk. Pünktlich und regelmäßig.

Wenn ich meine Augen schließe und mir die Anfänge des ICF vor Augen führe, dann vergesse ich niemals unser Mentoren-Ehepaar. Bis zum heutigen Tag habe ich den Respekt für die beiden nie verloren und erweise ihnen immer noch Ehre. Ich umarme sie mit allen Möglichkeiten, die sich mir bieten.

Vor einem Jahr schossen wir viel Geld in unser REACH-Projekt, das zum Ziel hat, neue Kirchen zu gründen und die TV-Sendungen auszubauen. Gleichzeitig mussten wir unsere neue Halle bezugsbereit machen, was mit hohen Kosten verbunden war. Unser ICF-Bankkonto war so gut gefüllt wie mein Junggesellen-Kühlschrank damals.

Als wir erfuhren, dass das Werk, welches unser Mentor-Ehepaar leitet, in einem finanziellen Engpass steckte, wussten wir, dass wir trotz eigener angespannter Finanzlage dieses Werk als ICF unterstützen würden. Zuerst sollte es *ihnen* gut gehen. Damit ehrte ich sie.

Ich glaube aus tiefstem Herzen an das Prinzip von Ehre und Respekt, weil ich es auch bei Jesus sehe.

Ace und John zogen einen Löwen groß, den sie Christian nannten, und ließen ihn später nach Afrika zurückbringen. Nach einem Jahr kehrten Ace und John nach Kenia zurück, um ihren alten Freund wiederzusehen. Sie hatten keine Ahnung, was auf sie zukam. Würde Christian sie überhaupt wiedererkennen? Darüber bestand bald kein Zweifel mehr. «Als er uns ansprang, hatte er fast hundertfünfzig Kilo. Er war voller Begeisterung und Überschwang. Es war ein Moment der absoluten Euphorie. Wenn sie einem einmal Vertrauen und Zuneigung geschenkt haben, vergessen sie einen nicht. Genauso wie ein Kind niemals vergessen würde, wer seine Mutter ist, egal wie lang man getrennt war.»

Genauso geht es mir mit unseren Mentoren. Ich werde sie nie vergessen.

EHRE UND RESPEKTIERE DEINE ELTERN

«Ehre deinen Vater und deine Mutter, dann wirst du lange in dem Land leben, das ich, der Herr, dein Gott, dir gebe.»
— 2. Mose 20,12 (Hfa)

Die Familie ist nicht mehr das, was sie einmal war. Früher war sie eine Tankstelle – heute ist sie eine Garage. Eine Art Wohngemeinschaft, in der jeder für sich lebt.

Eine Lehrerin bat ihre Schüler, folgenden Satz zu vervollständigen: «Ich wünsche mir …»

Sie erwartete Antworten wie: «ein Fahrrad, tolle Ferien, einen Hund, einen Fernseher».

Stattdessen sprachen zwanzig der dreißig Schüler ihre zerrütteten Familien an. Ein Kind wünschte sich, dass seine Eltern nicht mehr streiten würden. Ein anderes, dass der Vater wieder nach Hause zurückkäme. Ein drittes, dass die Mutter keinen Geliebten mehr hätte, und ein viertes Kind wünschte sich endlich gute Noten, damit es vom Vater geliebt würde. Ein Kind schrieb sogar: «Ich wünschte, ich hätte nur einen Vater und eine Mutter, damit sich die anderen Kinder nicht mehr über mich lustig machen. Ich habe nämlich drei Muttis und drei Väter, und sie machen mein Leben kaputt.»

Klingt das fünfte Gebot nicht manchmal etwas ironisch?

Wie viele Menschen haben mir schon mit Tränen in den Augen oder mit Wut im Bauch gesagt: «Leo, wenn du bloß meine Eltern kennen würdest, dann würdest du verstehen, dass ich sie unmöglich ehren kann!»

Und eine junge Frau sagte mir einmal: «Weißt du, wie viele Kinder missbraucht werden? Ich bin eines davon. Wie soll ich da meine Eltern ehren? Und wie soll ich mir Gott als liebenden Vater vorstellen? Immer kommt mir mein eigener Vater in den Sinn. Ich habe keine Ahnung, was echte Liebe ist.» Und dann sagte sie: «Irgendetwas an mir muss scheußlich sein, dass mich meine Eltern so behandelt haben!»

Jahrelang konnte sie nicht mehr in den Spiegel schauen, so sehr war sie überzeugt, dass sie nicht gut aussah.

Auch wenn du keine solch schrecklichen Erlebnisse gemacht hast, kann es sein, dass du von deinen Eltern tief enttäuscht bist. Vielleicht durftest du nie die Person sein, die du wirklich bist. Oder du fühltest dich oft missverstanden. Vielleicht sagten dir deine Eltern, dass du nichts kannst. Sie glaubten nicht an dich, oder sie erwarteten im Gegenteil viel zu viel Leistung von dir. Und vielleicht hat es dich zutiefst geschmerzt, dass dein Vater oder deine Mutter nur selten Zeit für dich hatten.

Hast du dir auch schon gewünscht, du hättest einen anderen Vater oder eine andere Mutter gehabt? Dieser Wunsch mag schön klingen. Er wird dir aber nicht weiterhelfen. Gott hat es zugelassen, dass du genau in die Familie hineingeboren wurdest, zu der du jetzt gehörst. Und das kannst du nicht ändern.

Ehre erweist man seinen Eltern nicht aufgrund von geleisteten oder nicht geleisteten Tatsachen, sondern alleine dafür, dass diese Eltern einem das Leben geschenkt haben.

Ich möchte dich in die Geschichte von Noah mitnehmen. Als Noah aus der Arche stieg, pflanzte er einen Weinberg und stellte den ersten Wein her. Er trank dann einmal so viel davon, dass er sternhagelvoll auf dem Boden seines Zeltes lag. Noah hatte drei Söhne. Als Ham ins Zelt trat und seinen Vater sturzbetrunken und splitternackt vorfand, lief er hinaus und machte sich über ihn lustig: «Mein Vater ist besoffen, schaut ihn euch an!»

Sem und Jafet, die beiden anderen Brüder, gingen auch ins Zelt. Weißt du, wie? Mit Ehre und

Respekt. Sie schauten die Blöße ihres Vaters nicht an, sondern gingen rückwärts ins Zelt und legten einen Mantel über ihren Vater. Sie verließen das Zelt, ohne ihrem Vater die Würde zu rauben.

Als Noah hörte, dass ihn Ham ausgelacht hatte, verfluchte er ihn. Sem und Jafet hingegen segnete er. Aus Sems Stamm gingen Abraham und alle Urväter unseres Glaubens hervor.

Sem und Jafet ehrten ihren Vater, auch wenn er sich danebenbenahm.

→ Ham hatte die Beziehung zu seinem Vater rein auf Respekt aufgebaut. Das heißt, sobald er etwas falsch machte, verlor Ham den Respekt vor ihm. Ham hat Noah nur aufgrund des äußeren Menschen beurteilt, nur aufgrund seiner Taten.

→ Sem und Jafet haben ihre Beziehung zu Noah auf Ehre aufgebaut. Das heißt, obwohl er etwas falsch machte, ehrten sie ihn immer noch als Vater und als Geschöpf Gottes. Ehre gebührt dem Menschen, den Gott schuf.

Wenn wir Menschen ehren wollen, müssen wir mit den Augen Jesu durch die Tat hindurch sehen – hindurch zu dem «nackten» Menschen, dem Geschöpf Gottes. Das heißt nicht, dass wir die Tat ignorieren. Es bewirkt lediglich, dass wir die Tat zwar als falsch anerkennen, aber den Menschen trotzdem noch ehren können.

EHRE UND RESPEKTIERE DEINE ELTERN FÜR DEN ANFANG DEINES LEBEN

Wusstest du, dass Eltern in unseren Breitengraden durchschnittlich 250.000 Franken pro Kind aufbringen müssen, bis das Kind zwanzig ist? Davon gingen einige Scheine für Windeln drauf. Und die mussten gewechselt werden, inklusive Kacka wegmachen. Lecker! Dafür alleine solltest du deinen Eltern eine Ehrenmedaille aus purem Gold basteln und an die Brust heften.

Doch die Windeln und die Viertelmillion Franken sind noch gar nichts im Vergleich zu all der Zeit, Liebe und Energie, die deine Eltern in deine Erziehung investiert haben. Bist du dir bewusst, wie viele Stunden deine Eltern darüber diskutiert haben, wie sie deinen Bedürfnissen am besten gerecht werden und wie sie deine Fähigkeiten am besten fördern können? Und noch mehr: Deine Eltern haben dir etwas gegeben, das dir sonst niemand geben kann. Sie haben dir dein Leben geschenkt. Ohne sie gäbe es dich gar nicht.

«Achte deinen Vater und deine Mutter, du verdankst ihnen das Leben!» *— Sprüche 23,22 (GNB)*

Dieser Vers sagt alles, was gesagt werden muss.

Die Ausrede: «Leo, ich habe mir meine Eltern nicht ausgesucht!», kontere ich mit: «Sie sich dich auch nicht!»

Es gibt im Leben vier Stadien:

Am Anfang glaubst du an den Nikolaus.

Im zweiten Stadium glaubst du nicht mehr an ihn.

In der dritten Phase spielst du den Nikolaus.

Im vierten Abschnitt siehst du aus wie der Nikolaus.

Bedenke, wenn du wie Nikolaus aussiehst, werden deine Kinder zu dir sagen: «Vater, Mutter, ich habe mir euch nicht ausgesucht. Ich hätte mir andere Eltern gewünscht!»

Dann denkst du: «Diesen Spruch kenne ich irgendwoher!»

Wenn dich deine grauen Hirnzellen nicht im Stich lassen, wirst du früher oder später realisieren: Das ist ja dein Spruch, den du vor vielen Jahren vorgebracht hast. Überraschung: Was du säst, wirst du ernten!

Meine Frau und ich wollten an einem warmen Septembertag wandern gehen. Vorher brachten wir die Kinder zur Schule. Unterwegs in die Berge tankten wir unseren Wagen auf. Das Smartphone klingelte. Am anderen Ende sprach unser kleiner Sohn vom Schultelefon aus: «Mami, Papi, ich bin so krank, es geht mir nicht gut. Ihr müsst zurückkommen und mich aus der Schule holen.»

Ein Mädchen hätte die Zähne zusammengebissen, doch einem Jungen und auch manchem Mann fehlt das Leidens-Gen. Er hat dafür das «Zum-Kühlschrank-Ge(h)n».

Ich dachte: «Stefan, sei kein Warmduscher, sei ein Mann! Reiß dich am Riemen.»

Wir hatten die Wanderschuhe montiert, die Wanderstöcke griffbereit, ich roch die Bergluft förmlich schon, sah das Picknick vor meinem inneren Auge und meine heiße Braut im Rüschen-Blüschen auf der Decke. Aber nein, meine Frau meinte: «Wir müssen nach Wallisellen umkehren. Unser Sohn ist so krank, wir müssen ihn holen.» Der Ärmste!

Ich hatte keine andere Wahl. Die Frau wählt. Der Mann fährt.

So fuhren wir zurück nach Wallisellen, holten den Sohnemann von der Schule ab, duschten ihn entsprechend warm und legten ihn ins Bett. Er beteuerte, wie ganz, ganz krank er war. Hätte ich ihn beim Wort genommen, hätte ich wohl sämtliche Ambulanzen der ganzen Schweiz schon mal in Alarmbereitschaft versetzen müssen.

Eine Stunde später meldete er sich ganz, ganz gesund zurück. Er wollte schon seinen Mund aufmachen: «Ein Wunder, Vater, ein Wunder, Jesus ist mein Arzt!» Doch er sah meine Faust im Hosensack und besann sich eines Besseren.

Kennst du den Moment, in dem du denkst: «Es ist so geil, Vater (oder Mutter) zu sein!»?

Wenn Stefan eines Tages zwanzig ist, wird er sich nicht mehr an diese Geschichte erinnern. Es ist die Geschichte über eine von Hunderten von Extrameilen, die du als Vater und Mutter für deine Kinder gehst.

In unserem Leben gibt es vieles, das unsere Eltern für uns getan haben, was wir vergessen oder verdrängt haben oder von dem wir schlicht und einfach keine Ahnung haben. Das heißt für mich: Ich möchte meine Eltern für den einen Grund ehren, dass Gott sie benutzt hat und ihnen die «Ehre» zukommen ließ, mich zur Welt zu bringen.

Ehre die Person, die dich zur Welt gebracht hat, egal was sie sonst getan hat oder tut oder tun wird.

***«Wenn du deinen Vater oder deine Mutter verfluchst, wird es dir ergehen wie einem, dessen Lampe in dunkelster Nacht erlöscht.»** — Sprüche 20,20 (GNB)*

Kennst du den Spruch: «Meine Eltern sind in einem schwierigen Alter»? Genau dies empfinden wir als Teenager oft. Wir finden, dass unsere Eltern hoffnungslos intolerant sind und dass sie hinter dem Mond leben. Als junge Erwachsene lassen wir uns dann von den Pflichten der Ehe und der Arbeit vereinnahmen. Und im mittleren Alter empfinden wir unsere Eltern manchmal als eine schwere Last; als Menschen, die unsere hart verdiente Freiheit einschränken.

Ein Siebzehnjähriger schrieb an den Schriftsteller und Journalisten Mark Twain: «Jeden Tag habe ich Streit mit meinem Vater. Ich verstehe ihn nicht mehr. Er ist altmodisch und hat kein Verständnis für moderne Ideen. Was soll ich tun?»

Mark Twain antwortete dem Teenager in einer Zeitungskolumne: «Junger Freund, ich kann Sie gut verstehen. Als ich 17 Jahre alt war, war mein Vater genauso ungebildet. Ich konnte es kaum aushalten. Aber habe Geduld mit deinen Alten! Sie entwickeln sich langsamer, aber sie entwickeln sich! Als ich 27 Jahre alt war, da hatte mein Vater so viel dazugelernt, dass man sich schon ganz vernünftig mit ihm unterhalten konnte. Und was soll ich dir sagen? Heute, wo ich 37 Jahre alt bin, ob du's glaubst oder nicht, wenn ich keinen Rat weiß, dann frage ich meinen alten Vater. So können sich Väter ändern.»

Nicht nur deine Eltern ändern sich, auch du wirst dich ändern. Irgendwann bist du wahrscheinlich selber ein Vater oder eine Mutter, und du wirst sehen, dass es nicht so einfach ist, deinen Kindern gerecht zu werden. Deine Eltern sind nicht perfekt – und du auch nicht! Einiges wirst du besser machen als deine Eltern. Und andere Sachen wirst du schlechter machen.

EHRE UND RESPEKTIERE DEINE ELTERN MIT WORTEN

Auf einer etwa 4000 Jahre alten ägyptischen Steintafel steht Folgendes:

«Die heutige Jugend zeigt kaum noch Respekt vor den Eltern. Sie ist von Grund auf verdorben, voller Ungeduld und ohne jede Selbstbeherrschung. Über die Erfahrung der Älteren spotten sie. Das sind sehr bedenkliche Zeichen.»

(Harry Müller: Fahrplan für Gewinner, Neuhausen-Stuttgart: SCM Hänssler, 1997, Seite 79.)

Das sind nicht deine Eltern, die sich über dich beschweren. Vor 4000 Jahren besaßen ägyptische Eltern scheinbar schon dieselbe Schallplatte mit dem Sprung drin. Was eine Schallplatte ist? Schau bei Wikipedia nach.

Auf jeden Fall: Es hat sich nichts geändert. Und deshalb ist es höchste Zeit, dass sich etwas ändert. Lass dich von den kleinen Löwen inspirieren, die ihren Eltern höchsten Respekt zollen. Wann hast du deiner Mutter zum letzten Mal gesagt, dass sie gut gekocht hat? Probier's mal mit einer Umarmung und sage deiner Mama: «Mein Lieblingsessen ist dir wieder einmal brillant gelungen!» Oder bedanke dich bei deinem Vater, dass er dich finanziell unterstützt.

Ab und zu verdienen unsere Mütter und Väter auch eine kreativere Art der Wertschätzung. Du könntest deinen Vater zum Beispiel mal zu einem Fußballmatch einladen. Nicht zum Geburtstag; einfach so, mitten im Jahr, um ihm zu danken. Oder du könntest deiner Mutter ein Diplom ausstellen, am besten auf selber gegossenem Papier und mit selbst gepflücktem Blumenstrauß.

Jeden Tag haben wir die Möglichkeit, unseren Eltern zu zeigen, dass wir sie achten und wertschätzen. Verpassen wir die Gelegenheit nicht, ihnen und uns zuliebe.

Tue etwas für deine Eltern. Jetzt.

Es war einmal ein Mann, der auf einer Insel lebte. Eines Tages merkte er, dass die Insel zu zittern begann. «Sollte ich vielleicht etwas tun?», dachte er. Aber als die Insel zu zittern aufhörte, beschloss er abzuwarten.

Wenig später fiel ein Stück seiner Insel ins Meer. Der Mann war beunruhigt. «Sollte ich vielleicht etwas tun?», dachte er. Aber als die Insel zu zittern aufhörte, beschloss er abzuwarten. Er konnte auch ohne das versunkene Stück weiterleben.

Kurz danach fiel ein zweites Stück seiner Insel ins Meer. Der Mann erschrak. «Sollte ich vielleicht etwas tun?», dachte er. Aber als nichts weiter passierte, beschloss er abzuwarten. «Bis jetzt», sagte er sich, «ist ja alles gutgegangen.»

Es dauerte nicht lange, da versank die ganze Insel im Meer und mit ihr der Mann, der sie bewohnt hatte. «Vielleicht hätte ich doch etwas tun sollen», war sein letzter Gedanke, bevor er ertrank.

(Ardeschyr Hagmaier: Adler oder Ente, GABAL-Verlag, 2006, Seite 103.)

WOR +TAT

In den vergangenen Ferien habe ich meiner Frau achtundzwanzig Dankeskarten mit jeweils einem Satz darauf geschrieben. Immer mit den Worten: «Du bist für mich …» Die ersten fünfzehn Eigenschaften schüttelte ich aus dem Ärmel, die nächsten dreizehn musste ich mir erkämpfen. Dazu habe ich ihr kleine Geschenke gekauft, etwa zwanzig an der Zahl. Ich packte die Karten und die Geschenke in kleine Tütchen und nummerierte sie.

Am ersten Tag überreichte ich ihr das erste Tütchen. Meine Frau freute sich über die Aufmerksamkeit: «Ah, ein Geschenk, einmalig. Danke, mein Liebster!»

Am nächsten Tag kam Nachschub; am übernächsten folgte ein weiteres Tütchen. Es hörte nicht mehr auf. Noch eine Karte, noch ein Geschenk … Kannst du dir vorstellen, wie meine Frau in den Ferien drauf war? Ka-tsching!

Mein Sohn Simon wollte wissen, was Mutti mir dafür schenken würde. Ich nahm meinen Sohn zur Seite: «Junge, das ist meine Saison, wo ich einmal danke sage. Relax, Boy, und gebrauche deine Energie besser dafür, zu überlegen, wie du deine Frau mal glücklich machen wirst.»

Ich schrieb achtundzwanzig Karten, um achtundzwanzigmal danke zu sagen für Sachen, die ich oft als selbstverständlich betrachte, die es in Wirklichkeit aber nicht sind. Ich drückte damit ihr gegenüber meine Liebe, meinen Respekt und meine Bewunderung aus.

Dasselbe können ich und du für unsere Eltern tun.

Sag «danke» mit deinen Worten und verstärke es mit Taten, die dich etwas kosten.

EHRE UND RESPEKTIERE DEINE ELTERN MIT TATEN

«Hat eine Witwe aber Kinder oder Enkel, dann sollen diese lernen, zuerst selbst ihren Angehörigen Ehrfurcht zu erweisen und dankbar für ihre Mutter oder Großmutter zu sorgen; denn das gefällt Gott.»
— 1. Timotheus 5,4 (EÜ)

TE EN!

Die Fürsorge der Löwin beschränkt sich nicht auf ihre Jungen. Löwinnen sind bekannt dafür, dass sie sich auch um die älteren oder verletzten Löwinnen im Rudel kümmern. Sie sind das Bindemittel, damit das Rudel als gesunde Einheit funktioniert.

«Welch eine Löwin war deine Mutter! Unter Löwen lagerte sie, unter jungen Löwen zog sie ihre Jungen auf.»
— *Hesekiel 19,2 (LB)*

Jesus selber gehörte zu einer Kultur, in der sich die Kinder um ihre Eltern kümmerten. Sogar als er in Todesschmerzen und nackt zwischen Himmel und Erde hing, mit der ganzen Last unserer Sünden auf sich, sorgte Jesus immer noch für seine Mutter. Er bat Johannes, sich um sie zu kümmern, als wäre sie seine eigene Mutter. Dieser berichtet uns, dass er sie von dieser Stunde an in seinen Haushalt aufnahm (vgl. Johannes 19,27).

Oft haben wir Gründe, weshalb wir für unsere Eltern keine Zeit haben. Ganz im Gegensatz dazu teilten die ersten Christen nicht nur ihre Zeit, sondern auch ihr Geld mit ihren Eltern. Damals gab es keine AHV, also keine Rentenversicherung. Diese Christen nehme ich mir zum Vorbild.

Ich begleitete meinen Vater als junger Mann beim Fischen.

Ich besuchte meinen Vater, so oft es ging, im Krankenhaus, als er es nicht mehr verlassen konnte.

Ich gehe mit meiner Mutter wandern und helfe ihr bei ihren Besorgungen.

«Wer die Schwachen unterdrückt, beleidigt ihren Schöpfer. Wer Hilflosen beisteht, ehrt Gott.» — *Sprüche 14,31 (GNB)*

Wenn wir bereit sind, unsere Eltern und die Menschen um uns herum zu ehren, ehren wir damit Gott, denn er selber sagt, dass das, was wir den Menschen tun, auch ihm tun. Und wer das tut, den erwartet ein großartiges Ereignis.

GOTT WIRD DICH AM ENDE EHREN UND RESPEKTIEREN.

«Verlass dich nicht auf deinen Verstand, sondern setze dein Vertrauen ungeteilt auf den Herrn! Denk an ihn bei allem, was du tust; er wird dir den richtigen Weg zeigen.»
— Sprüche 3,5–6 (GNB).

Nach dem Zweiten Weltkrieg flog US-Präsident Dwight D. Eisenhower wieder zurück in die Vereinigten Staaten. Als er in New York landete, wurde ein großer roter Teppich ausgerollt. Tausende von Menschen hatten sich auf dem Flughafenareal versammelt. Verschiedene Marschkapellen und Dixiebands spielten, und auf den mitgebrachten Transparenten konnte man in Großbuchstaben «WELCOME HOME» lesen.

Doch all dies wurde von einem fast ohrenbetäubenden Rufen in den Schatten gestellt. Denn als der Präsident gemächlich die Stufen des Flugzeugs hinabstieg und seine Füße auf den roten Teppich stellte, da schrien alle: «Eisi, Eisi, Eisi!» Die Trommler der einzelnen Kapellen schlugen vor Freude beinahe ihre Felle ein, man warf überall Konfetti herum. Es herrschte eine Riesenstimmung auf dem Flugplatz.

Im selben Flugzeug befand sich auch ein Missionar, der während vieler Jahre eine mühevolle Tätigkeit in Afrika ausübte. Er hatte dort seine Frau und seine Kinder verloren, die alle an einer schweren Krankheit gestorben waren.

Dieser Missionar saß gesundheitlich völlig angeschlagen im Flugzeug und beobachtete durch ein kleines Fenster, wie man den Präsidenten frenetisch feierte. Als er jedoch das Flugzeug verließ, da rief ihm niemand zu. Niemand feierte ihn, als er mit mühsamen Schritten die Treppe hinunterstieg. Und niemand sagte zu ihm: «Danke für all das, was du in Afrika getan hast.»

Dem Missionar liefen die Tränen hinunter, und er sagte zu sich selbst: «All das, was ich investiert habe, hat sich wohl kaum gelohnt. Ich habe meine Frau und meine Kinder verloren und bin selbst bei schlechter Gesundheit.»

Als er schließlich neben dem roten Teppich vorbeiging, hörte er die Stimme Gottes: «Du weißt doch ganz genau, dass du noch nicht zu Hause bist. Der letzte große Applaus steht noch aus, der letzte rote Teppich ist noch nicht gelegt worden, und die letzte Band hat noch nicht gespielt.» Dem Missionar liefen noch einmal die Tränen hinunter. Diesmal waren es Freudentränen: Auf ihn wartete ein großer Lohn. Mochte Präsident Eisenhower schon jetzt seinen Lohn haben. Ihm war dies plötzlich egal.

Der letzte Applaus steht auch in deinem Leben noch aus. Dagegen war der Applaus für Eisenhower nur «Peanuts».

Bleibe dran mit Gott, so wie er immer an dir dranbleibt.

WELCOME HOME

*«Wenn Gott für uns ist, wer kann dann gegen uns sein?
Gott hat seinen eigenen Sohn nicht verschont, sondern ihn für uns alle dem Tod ausgeliefert. Sollte er uns da noch etwas vorenthalten?
Wer könnte es wagen, die von Gott Auserwählten anzuklagen? Niemand, denn Gott selbst hat sie von aller Schuld freigesprochen. [...]
Denn ich bin ganz sicher: Weder Tod noch Leben, weder Engel noch Dämonen, weder Gegenwärtiges noch Zukünftiges, noch irgendwelche Gewalten, weder Hohes noch Tiefes oder sonst irgendetwas können uns von der Liebe Gottes trennen, die er uns in Jesus Christus, unserem Herrn, schenkt.»* — *Römer 8,31–33.38–39 (Hfa)*

DRAN
BLEIBEN